八十七歲的孔德成，依然喜歡讀書，連客廳也堆滿了書。

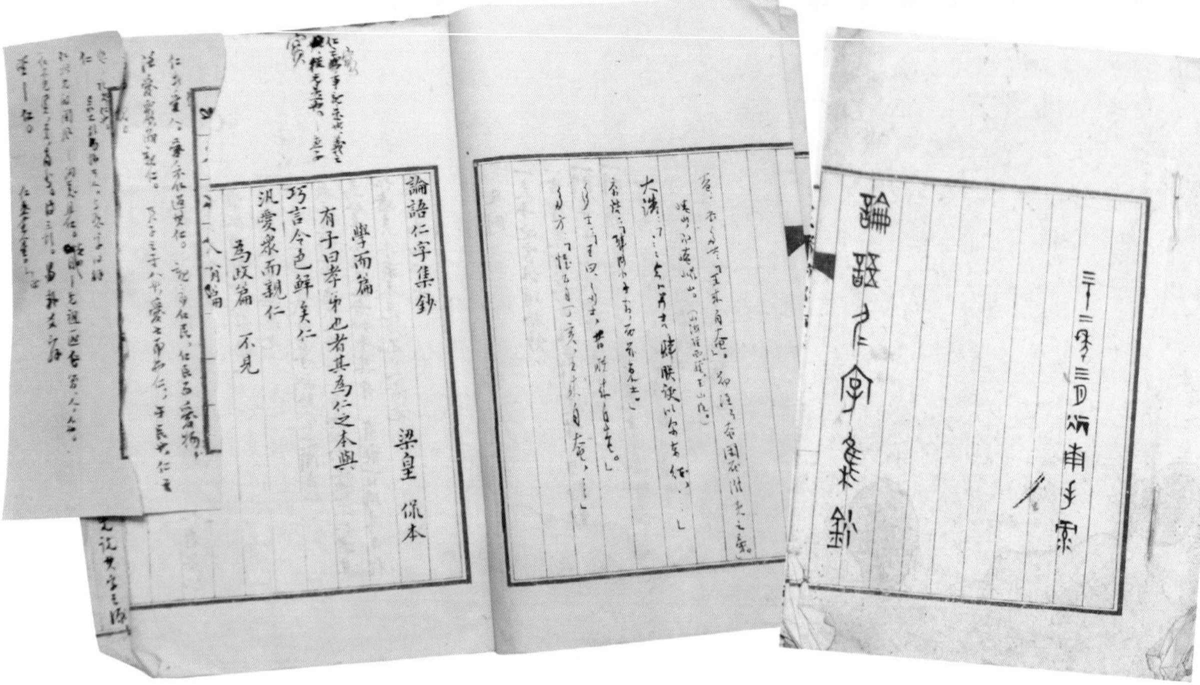

孔德成題字，《論語》仁字集鈔

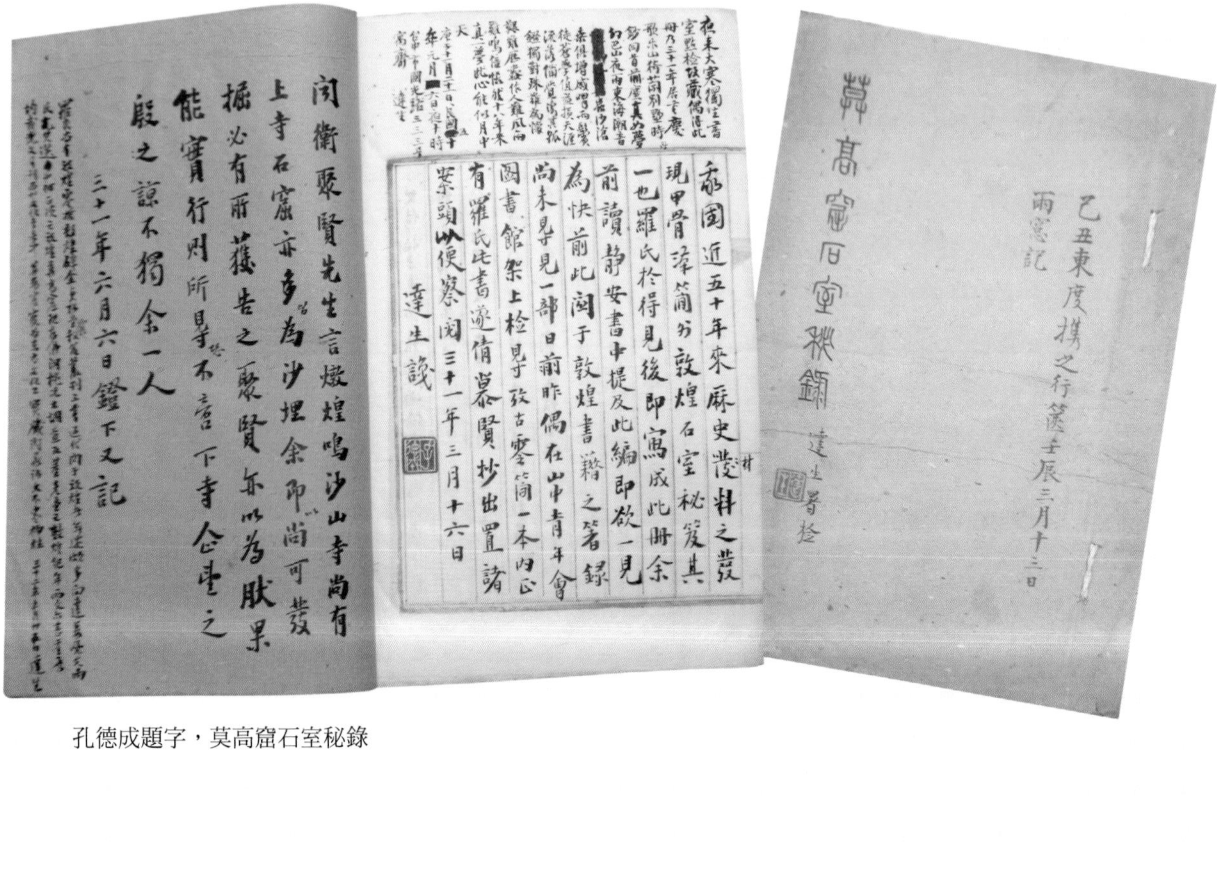

孔德成題字，莫高窟石室秘錄

一九四八年五月，与
孟真先生攝於美國 New Haven，克拉克街，69号。
一九五三年一月廿六日，記於台中。德成

一九四八年與傅斯年先生攝於美國耶魯大學

孔德成與胡適先生（左三）、莊嚴先生（左一）攝於臺中北溝國立故宮中央博物院聯合管理處

孔德成與丁維汾先生（中）合影

孔德成與于右任先生（中）合影

孔德成在北溝研究室研究國寶

孔德成先生赴日演講，受邀題字。

孔德成攝於臺灣大學研究室

孔德成簽名留念

孔德成手握菸斗之風采

孔德成與臺靜農先生合影

孔德成訪日受學生熱情歡迎

孔德成訪問日本麗澤大學與廣池幹堂理事長寒暄

孔德成於震旦博物館題字，左為張臨生館長。

孔德成晚年至親家于府拜年，仍保留傳統。

孔德成先生文集

藝術家

【序　文】

「十年生死兩茫茫，不思量，自難忘。」

轉眼間，爺爺孔德成先生已離開我們十年了，十年生死，我擔任大成至聖先師奉祀官業已邁向第十個年頭。兒時，爺爺和父親對我們的教育均十分民主尊重，從沒有過多的特別要求。這十多年來，自從意識到自己所背負的歷史及家族責任，從旁人包括母親、親友、還有來自世界各地爺爺的眾弟子及儒學同道之中，以及自我精進儒學的道路上，越來越意識到積極推動儒家孔子學說「仁愛忠恕」的精神，對於當今社會有多麼重要及必須的使命和意義，同時也對相處三十多年的爺爺與家族有更深層的理解與認識。

爺爺一生雖一再歷經戰亂顛簸、歷史更替，飽受身心及現實的內憂外患，亦未曾因外務與紛亂，棄書於不顧，讀書、教書始終是他一生最大的樂趣與興趣所在，也是其終其一生的理想與志業，爺爺於臺灣各大學院校任教逾半世紀，作育無數英才。

為紀念爺爺百年誕辰，我們決定出版《孔德成先生文集》、《孔德成先生日記》及《孔德成先生法書》等著作，文集則包括論文、演講和雜文等；日記是爺爺於抗戰時期在重慶的記述；法書是他寫給家人、友人和學生的作品，各種書體的法書可以看出爺爺書藝的非凡造詣。這段期間非常感謝臺大文學院葉國良教授及其學生黃澤鈞先生和鄭心如女士所作的資料蒐錄整理與校對，還有藝術家出版社何政廣發行人及其團隊的鼎力協助，這三本著作才得以順利出版。

爺爺生於山東曲阜，自小生活在孔府，他在傳統私塾紮實的詩書禮樂養成教育之下成長，爺爺身為一名中文學者，於《儀禮》、金文與儒家思想的講述和研究，均有重要、不可磨滅的成果與歷史意義，包括八、九零年代於世界各國、大學院校所做的演說、對儒家學說於現今世事的再現與傳承，皆在這次的文集裡作了主要的收錄。至於爺爺個人於抗戰時期在重慶的日記，相信不只對民國近代史顯得意義非凡，於我及孔氏家族而言更顯珍貴。

記得日記裡最常出現的字句，莫過於「終日讀書」、「圍爐讀書」，夜涼如水的日子，亦可見年少的爺爺記下「夜深時腹餓，小食，擁衾閱《綱鑑·五代紀》數葉而睡。……」讀至此不禁會心一笑，想及爺爺夜深時吃消夜，躲在被子裡，仍是在讀書；又見爸爸剛出生時，爺爺「在街上為益兒買魚肝油精一瓶，價六十元，可謂昂矣。並在藥房配助消化藥水一瓶，在國貨公司裁小衣料兩身，為鄂女買糖果點心多種……」可見時常被稱為「孔聖人」的爺爺，在生活中不僅沒有架子，亦不見讀書人常於生活自處上的生疏，處處可見其投入生活的熱情及對家人無微不至的柔情體貼，一如我記憶裡爺爺的樣子。

爺爺身為遺腹子，與動亂時代一路走來，拂了一身還滿的哀愁，於日記裡亦表露無遺，總是在一些看似平凡熱鬧如過年這樣的日子裡，爺爺在一盞點亮的燈底下寫著「聽人家放爆竹聲，不盡天涯流落之感」。縱使彼時尚年輕，心境上的蒼老顯露無遺，無怪乎如「亂山殘雪夜，孤獨異鄉人」這樣的詩句，每每撩動的不只是思鄉的心弦，更有對身世的慨歎。

爺爺一生顛沛流離，卻始終堅守道統，作育英才，弘揚儒學不遺餘力，讀書講課直到生命的最後，始終是他一生的堅持與執著。

儒學作為中華文化幾千年來哲學與道德倫理的基礎，於今日社會亦有其積極的意義和大力推廣的必要。爺爺曾於上世紀講演時闡述「孔子雖然是兩千多年以前的人，但孔子的思想卻永遠是新穎的。孔子的思想建立於仁。仁者，即人也，為人之道也；是即人與人之間的一種維繫。不管將來國家怎樣進步，不管未來世界的物質文明怎樣發達，人永遠是人，人永遠應盡到一種人的責任，人要在這社會處下去，永遠要保持孔子的『仁愛忠恕』寬大慈愛精神。」此言於二十一世紀的今天，仍然同樣受用，世界雖然日新月異，但人與人之間的互動須秉持的博愛、信賴、忠實、勇氣、容忍及智慧，依然不變，甚至在科技發達的今日，更加需要我們積極的思考與學習。

在爺爺孔德成先生百年誕辰前夕，出版先生的三本著作，文集、日記及法書，實對孔氏家族與全球儒學研究者都有著重要而深刻的意義。再次感謝葉國良教授及藝術家出版社的大力協助，與期間為相關事項出力的學者、友人與宗親，垂長衷心拜謝。

謹借此序，深深表達對爺爺孔德成先生永遠的敬愛與懷念。

中華民國一〇七年十月

孔垂長　謹序

弁言

孔德成先生，民國九年生於山東省曲阜縣孔府，字玉汝，號達生，後以達生為字。孔子七十七世嫡長孫，歷任大成至聖先師奉祀官、國立故宮中央博物院聯合管理處主任委員、考試院院長等職，卒於民國九十七年，享壽八十九歲。生平詳傳記《儒者行—孔德成先生傳》一書（臺北聯經出版）。

先生既生於聖人之家，幼年即受師長嚴格督導裁成，蓋無日不進德修業，所謂學不厭者也。故自弱冠以前，已飽讀經籍，多能成誦，且能論述古文獻矣。其抗戰時期《日記》，持論有據，不知者以為出老儒手。

民國四十四年，先生受聘於國立臺灣大學中國文學及考古人類兩系，為兼任教授。此後講學不輟，垂五十三年，中外學子受其惠者無數，晚歲獲頒臺大名譽博士，可謂教不倦者也。

先生既執教上庠，而世人或謂之論著無多，其實先生好古敏求，為文至慎，故惜墨如金，而言必有中，曾撰〈說兕觥〉一文，僅千餘言，而已闡明其器形似牛角，可決前人之疑。中央研究院史語所屈萬里先生惜其著墨太簡，恐世人未悉其詳，乃別撰〈兕觥問題重探〉，詳述前文之發見，並附圖為證，學界至今傳為佳話。

又先生於民國五十四至五十八年前後，接受東亞學會委託，規劃「儀禮復原實驗小組」，指導研究生十餘人，從事古禮書專題研究，多年後完成，其成果悉數歸之學生，由中華書局出版為《儀禮復原叢刊》系列。不僅如此，先生復感於歷代禮學論著，其禮圖均屬平面，難以展示實況，今人既有電影之發明，當可據以改為動態。唯當時格於大學法規，無法申請攝製經費，先生乃商之友朋，舉債獨資率領諸生拍攝，終完成《儀禮・士昏禮》黑白影片。功成，是為海內外首部經學電影，對於研究、教學大有創發之功，故能享譽國際。其後畫質難免漸損，至民國八十九年，其弟子葉國良改製為全彩3D動畫，研究成果乃得延續。足見先生不獨嫻熟古典，治學尤能創發，沾溉後學，正無窮也。

茲逢先生百年誕辰，家屬等擬於國父紀念館舉辦紀念會及相關文物展覽，謹先由弟子等整理出孔德成先生著作三種，同時出版，其一曰《孔德成先生文集》，內容包括論文、演講、雜文等。其二曰《孔德成先生日記》

（民國二十七年八月至三十一年八月），主要為抗戰期間讀書日記，兼及時事、交遊等，係首次刊布，良足珍貴。其三曰《孔德成先生法書》，主要收錄中年以後墨迹。先生學從多師，書法及理學以前清侍讀學士莊陔蘭為師，自顏體入手，故渾厚沈穩，得者視為至寶，而代筆及贗品亦多，故該冊之編輯慎之又慎。

蓋先生一生之所成就，涵負多方，巍巍乎，浩浩乎，非弟子等所能贊述！故編輯三書，存其德業文章之跡，永為紀念云。

中華民國一〇七年十月

葉國良 謹述

孔德成先生文集・目次

論文

演講

雜文

論文

「自土沮漆」解

《詩·大雅·緜》中，述周太王自邠遷於岐下之事曰：

> 緜緜瓜瓞，民之初生，自土沮漆。古公亶父，陶復陶穴，未有家室。
> 古公亶父，來朝走馬。率西水滸，至於岐下。爰及姜女，聿來胥宇。

其詳細情形，以《孟子》所述為最備，〈梁惠王篇〉曾顧及其事。其文曰：

> 昔者大王居邠，狄人侵之，去之岐山之下居焉。非擇而取之，不得已也。
>
> 昔者大王居邠，狄人侵之。事之以皮幣，不得免焉；事之以犬馬，不得免焉；事之以珠玉，不得免焉。乃屬其耆老而告之曰：「狄人之所欲者，吾土地也。吾聞之也：君子不以其所養人者害人。二三子何害乎無君？我將去之。」去邠，踰梁山，邑于岐山之下居焉。邠人曰：「仁人也，不可失也。」從之者如歸市。

由《孟子》所說，證知太王原居於邠，後乃遷於岐山之下。〈綿〉之詩亦言至於岐下，但未言是否從邠遷去，而只有「自土沮漆」一語。

其後太史公復參合《詩》及《孟子》之文，而於《史記·周本紀》中述之曰：

> 古公亶父，修復后稷、公劉之業，積德行義，國人皆戴之，薰育戎狄攻之，欲得財物，予之，已復攻，欲得地與民，民皆怒，欲戰，古公曰：「有民立君，將以利之，今戎狄所為攻戰，以吾地與民，民之在我，與其存彼何異？民欲以我故戰，殺人父子而君之，予不忍為。」乃與私屬遂去豳，度漆沮，止於岐下。

史公「度漆沮」之說，乃從「自土沮漆」語中化出，沮漆是否漆沮，自土沮漆究作何解？本篇所討論者，即此問題。

按毛《詩》解自土沮漆云：「自，用；土，居也。沮，水；漆，水也。」《正義》申之云：「〈釋訓〉云：由，從；自，此，由訓為用，故自得有用也，土地人之所居，故云土居也。……〈禹貢〉雍州云，漆沮既從，是漆沮俱為水也。或言漆沮為二水名，《漢書．地理志》云：右扶風有漆縣，云：漆水在其縣西，則漆是一水名，與沮別矣。」按此，是毛《詩》明以沮漆為二水，《正義》則是一是二，不能決定，然於自則作用解，於土則作居解，固無異義。

今按史公以沮漆為漆沮，及毛公以沮及漆為二水，皆與詩義不合，《史記．夏本紀》云：「道渭……又東北至于涇，東過漆沮，入于河。」是漆沮在涇水之東。《水經．沮水》同：「沮水出北地直路縣，東過馮翊祋祤縣北，東入於洛。」是沮水亦在涇水之東，後人或謂漆自漆，沮自沮，或謂漆沮合流，統曰漆沮，但無論為一水為二水，其在涇水東則無疑，而豳地則在涇水之西，去此甚遠，故知史公及毛公之說，皆非是也。

其次：自之訓用，土之訓居，亦實牽強，《正義》因〈釋訓〉由訓為從，因念自亦訓為由；故自亦應訓用。又謂土地為人之所居，故土應訓有居，穿鑿至此，亦何克供人置信哉？

然則自土沮漆，究作何解？曰：即「自杜水往漆水」而已。今論證其說：

（一）土杜古通由，土謂杜水也，《漢書．地理志》杜陽下注云：「杜水南入渭，莽曰通杜，師古曰：《大雅．緜》之詩曰：『人之初生，自土沮漆』，齊《詩》作『自杜』。」是此土字即杜字，本證一也。〈豳風．鴟鴞〉：「徹彼桑土。」相臺本附《釋音》云：「土音杜，……韓《詩》作杜。」是土杜通用，此旁証二也，漢之杜陽，即周豳岐地所屬，其地正有杜水，故曰，土，即杜水也。

（二）漆，豳地之漆水也，戴東原《毛鄭詩考正》云：「按此漆水在涇西；與〈禹貢〉、〈小雅〉、〈周頌〉之漆沮水，在涇東渭北者，中隔涇水，……豳地在涇之西南，《詩譜》云：岐山之北，原隰之野是也，漢右扶風之漆與栒邑是其域。漆下云：水在縣西，蓋〈漢志〉漆水，正與〈緜〉詩所言，始居於豳合。」按戴氏此說甚諦，漆乃豳地之水，非涇東之漆沮水也。

（三）沮，同徂，往也。按沮、徂等字，古但作且。〈漢婁壽碑〉云：「榮且溺之耦耕」，且即《論語》長沮之沮，是且即沮也，《詩．鄭風．溱洧篇》：「士曰既且」，《釋文》曰：「且，往也」，《周易．夬．九四．爻辭》：「其行次且」，即「其行趑趄」，是且又即徂（徂，趄同）也，蓋古者字少，且以一字當數義，又同音文字，往往通用不別，若此類者，本無足異，故甲骨文及金文，或以且作祖，或以且作俎，《韓非子》以范睢作范且（見〈外儲說左上〉）。先秦經籍，此類例證甚多，蓋此《詩》原文，本作「自土且漆」，後人略且往之義，見其與漆沮連文，遂以沮訓之，寖假而寫為沮耳。

（四）自○徂○，為《詩》中之習用語也。〈大雅．雲漢〉之詩曰：「自郊徂宮」，謂由郊往於宮也，〈周頌．絲衣篇〉曰：「自堂徂基」，又曰：「自羊徂牛」，謂由堂往於基，由羊往於牛也，自、徂皆動詞，其下二字皆名詞，而自徂漆之語，其句法適與上舉三例同，則土為名詞，沮為動詞，決無疑義也。

就以上四證言之，則「自土沮漆」之為由「杜水往漆水」，斷斷然矣。

蓋杜水在杜陽，杜陽在今陝西麟遊縣，《漢書．地理志》，謂漆水在漆縣西，《說文》云：「漆水出右扶風杜陵縣岐山。」《水經注．漆水篇》云：「雍水又東南流，與橫水合，水出杜陽山，謂之杜陽川，東南流，左會漆水。」杜陽川蓋即杜水。是杜、漆二水，同流經杜陽，其下游且合流，而漆在杜之東南也，《詩譜》稱豳地在岐山之北，原隰之野，則正當漆陽附近，以斯證之，乃與詩義妙合無間，蓋杜陽之南，即為岐山，地望非遙，故得「率西水滸，至於岐下」，若纔越涇東漆沮之水，再而返乎岐山，則非但山川悠遠，跋涉匪易；且率西水滸，亦上得抵潼關以西，不得至於岐下也。

總上而論，《孟子》太王居邠之說，最為允當，太史公以漆沮當沮漆，毛《詩》以漆沮為二水者，皆誤解詩義也。

〈王制〉義證

王制，乃《小戴記》中之一篇，與《荀子・王制》異也。《漢書・郊祀志》，文帝時，「而使博士諸生，刺六經中者作〈王制〉。」盧植曰：「漢文帝令博士弟子作此篇。」蓋此篇乃漢文時儒生，參諸《孟子》等書而作也。本欲見諸實施，非止徒託空言。清之今文經生，以之翼輔《公羊》而詆《周禮》，成今說之砥柱。在此意上，本可多所傅會。若究其實，則此篇雖為「應制」，然其意存復古。而今文家之舉是篇，號曰托古，乃翼新說。此其所以異也。

王者之制祿爵，公、侯、伯、子、男，凡五等㊀。諸侯之上大夫卿㊁，下大夫、上士、中士、下士，凡五等㊂。

㊀五等爵，《孟子・萬章下》：「天子一位，公一位，侯一位，伯一位，子男同一位，凡五等。」按五等爵，在《春秋》一書中，即是如此。然有土之君，或天子之老（如劉子、尹子是），在其國，或對外皆可稱公。（〈曲禮下〉：「其外曰公。」《春秋》及《左傳》此例甚多，不例舉。金文如晉公盦、鄀公毀等，於侯亦稱公。）至早期之史料中，甲骨中之婦、子、侯、伯、男、田。如矢令彝、尊之眾諸侯，侯田男。盂鼎，邊侯。《書》〈康誥〉之侯、甸、男邦、采、衛。〈酒誥〉之侯、甸、男、衛、邦伯。〈召誥〉之侯、甸、男、邦伯。〈顧命〉之伯、侯、公，或為服地之稱，多非爵等之別（金文中有某公、某侯、某伯、某子，惟無稱某男者）。蓋殷及西周之爵等，固不必與此所謂之五等爵同也。

㊁上大夫卿，謂卿之位，等於上大夫。《左・襄十七年傳》：「晏嬰曰：『唯卿為大

夫。』」即此義也。

㊂凡五等，《孟子．萬章下》之「君一位，卿一位，大夫一位，上士一位，中士一位，下士一位，凡六等。」《周禮》天子則具六官，官之爵六等；曰：「公、孤、卿、中大夫、下大夫、上士、中士、下士。」皆與此小異。

天子之田方千里，公侯田方百里，伯七十里，子男五十里。不能五十里者，不合於天子，附於諸侯，曰附庸。天子之三公之田，視公侯；天子之卿視伯；天子之大夫視子男；天子之元士視附庸㊀。

㊀附庸，鄭玄曰：「小城曰附庸。」王應麟曰：「王莽曰附城，蓋以城為庸也。」《項氏家說》曰：「不成國者，謂之附庸，猶今言支郡為屬城也。」《詩．玄鳥》：「邦畿千里。」《孟子．萬章下》：「天子之制，地方千里；公侯皆方百里，伯七十里，子男五十里，凡四等。不能五十里，不達於天子，附於諸侯，曰附庸。天子之卿，受地視侯；大夫受地視伯，元士受地視子男。」《周禮．夏官．職方氏》：「千里曰王畿。」又〈大司徒〉云：「公五百里，侯四百里，伯三百里，子二百里，男百里。」與此及《孟子》異。《晏子春秋．內篇》謂太公受地五百里。《史記．漢興以來諸侯年表》謂伯禽、康叔各四百里。晏書說與各說不同。此或周之故典，亦或儒之舊說，然春秋戰國，即以魯齊言之，魯已「方百里者五」（《孟子．告子下》），齊則「東至於海，西至於河，南至穆陵，北至無棣」，更不止「方百里五」也。

制，農田百畝。百畝之分，上農夫食九人，其次食八人，其次食七人，其次食六人，下農夫食五人。庶人在官者，其祿以是為差也㊀。

㊀《孟子．萬章下》：「耕者之所獲，一夫百畝，百畝之糞，上農夫食九人，上次食八人；中食七人，中次食六人；下食五人。庶人在官者，其祿以是為差。」《周禮．地官．小司徒》：「上地家七人……中地家六人……下地家五人。」《管子．揆度篇》：「上農挾五，中農挾四，下農挾三。」《呂覽．士容論》：「上田夫食九人，下田夫食五人。」又與此篇及《孟子》異。

諸侯之下士，視上農夫㊀，祿足以代其耕也㊁。中士倍下士，上士倍中士，下大夫倍上士，卿四大夫祿，君十卿祿。

㊀視上農夫者，上文：「上農夫食九人。」《孟子．萬章下》：「下士與庶人在官者同祿」，而庶人在官者之祿，以農夫之次為差（《孟子．萬章下》：「耕者之所獲，……庶人在官者，其祿以是為差」）。

㊁《孟子．萬章下》：「大國地方百里，君十卿祿，卿祿四大夫，大夫倍上士，上士倍中士，中士倍下士，下士與庶人在官者同祿，祿足以代其耕也。」

次國之卿，三大夫祿，君十卿祿㊀。

㊀《孟子．萬章下》：「次國地方七十里，君十卿祿，卿祿三大夫，大夫倍上士，上士倍中士，中士倍下士，下士與庶人在官者同祿，祿足以代其耕也。」

小國之卿，倍大夫祿，君十卿祿㊀。

㊀《孟子．萬章下》：「小國地方五十里，君十卿祿，卿祿二大夫，大夫倍上士，上士倍中士，中士倍下士，下士與庶人在官者同祿，祿足以代其耕也。」

按：自大國至小國，其食人之數，詳下文「諸侯之下士」節。

次國之上卿，位當大國之中，中當其下，下當其上大夫。小國之上卿，位當大國之下卿，中當其上大夫，下當其下大夫。

其有中士、下士者，數各居其上之三分㈠。

㈠徐邈云：「中士三倍上士之數，下士三倍中士之數也。」

凡四海之內九州，州方千里。州建百里之國三十，七十里之國六十，五十里之國百有二十，凡二百一十國。名山大澤不以封，其餘以為附庸閒田。八州，州二百一十國㈠。

㈠《書．禹貢》以冀、兗、青、徐、揚、荊、豫、梁、雍為九州。《周禮．夏官．職方式》，《爾雅．釋地》，與〈禹貢〉小異。

天子之縣㈠內，方百里之國九；七十里之國，二十有一；五十里之國，六十有三；凡九十三國。名山大澤不以朌㈡，其餘以祿士，以為閒田。

㈠縣，鄭玄曰：「夏時天子所居州界名也。」其說固難信，然漢時有稱天子為縣官者（《史記．絳侯世家》集解，《後漢書．劉盆子傳》注）。

㈡朌，鄭玄曰：「讀為班。」

凡九州，千七百七十三國，天子之元士、諸侯之附庸不與。

天子，百里之內以共官，千里之內以為御。

千里之外設方伯，五國以為屬，屬有長。十國以為連，連有帥；三十國以為卒，卒有

正；二百一十國以為州，州有伯。八州八伯，五十六正，百六十八帥，三百三十六長。八伯各以其屬，屬於天子之老二人，分天下以為左右，曰二伯㊀。

㊀此伯者，非五等爵之伯，乃諸侯卿事之殊榮，如召公（《詩・甘棠》，召伯虎𣪘）、芮公（芮伯𣪘）、秦公（《春秋》有稱秦伯者）皆稱伯。晉文公受九錫而為伯（《左》昭九年傳），《周禮・宗伯・大宗伯》：「九命為伯。」〈典命〉：「上公九命為伯。」〈曲禮〉：「五官之長曰伯。」是也。二伯者，《公羊》隱五年傳：「自陝而東，周公主之；自陝而西，召公主之。」此說雖不敢必信，然或為此篇二伯之說之所本。

千里之內曰甸，千里之外曰采，曰流㊀。

㊀見上引夨令尊、彝、盂鼎、〈康誥〉、〈酒誥〉、〈召誥〉、〈顧命〉。又《左》桓二年傳：「今晉甸侯也。」〈襄十五年傳〉：「君子謂楚於是乎能官人，……公、侯、伯、子、男、甸、采、衛、大夫，各居其列。」《國語・周語》：「邦內甸服。」〈禹貢〉：「五百里甸服；百里賦納總，四百里粟，五百里米。五百里侯服，百里采，二百里男邦，三百里諸侯，五百里綏服，三百里揆文教，二百里奮武衛。五百里要服；三百里夷，二百里蔡。五百里荒服；三百里蠻，二百里流。」《周禮・夏官・職方氏》：「方千里曰王畿，其外方五百里曰侯服，又其外方五百里曰甸服，又其外方五百里曰男服，又其外方五百里曰采服，又其外方五百里曰衛服，又其外方五百里曰蠻服，又其外方五百里曰夷服，又其外方五百里曰鎮服，又其外方五百里曰藩服。」（又見〈秋官・大行人〉）。

天子三公㊀，九卿，二十七大夫，八十一元士。

㊀《周禮》，王者三公六卿（見〈春官・司服〉）。

大國三卿，皆命於天子，下大夫五人，上士二十七人。次國三卿，二卿命於天子，一卿命於其君，下大夫五人，上士二十七人。小國二卿，皆命於其君，下大夫五人，上士二十七人。

天子使其大夫為三監，監於方伯之國，國三人㈠。

㈠此蓋由管、蔡、霍之監殷而訂之制。

天子之縣內諸侯，祿也；外諸侯，嗣也。

制，三公，一命卷㈠；若有加則賜也，不過九命。次國之君，不過七命。小國之君，不過五命。大國之卿，不過三命。下卿再命。小國之卿，與下大夫一命㈡。

㈠卷，即衮，衮衣也。《周禮．春官．司服》：「公之服自衮冕而下。」《詩．豳風．東山》謂周公「衮衣繡裳」。

㈡《周禮．春官．典命》：「上公九命為伯，……侯伯七命，……子男五命。……王之三公八命，其卿六命，其大夫四命；及其出封，皆加一等，……公之孤四命，……其卿三命，其大夫再命，其士一命……侯伯之卿，大夫，士，亦如之。子男之卿再命，其大夫一命，其士不命。」《周禮．春官．大宗伯》：「以九儀之命，正邦國之位；一命受職，再命受服，三命受位，四命受器，五命賜則，六命賜官，七命賜國，八命作牧，九命作伯。」其等差不盡同。

凡官民材，必先論之。論辨，然後使之；任事，然後爵之；位定，然後祿之。爵人於朝，與士共之；刑人於市，於眾棄之。是故公家不畜刑人，大夫弗養，士遇之塗，弗與言也；屏之四方，唯其所之，不及以政，亦弗故生也。

諸侯之於天子也，比年一小聘㈠，三年一大聘，五年一朝㈡。

按：鄭玄以為晉文之制（見左三年傳，鄭子太叔語），是也。

㈠聘者諸侯相問之事，〈曲禮〉：「諸侯使大夫問於諸侯曰聘。」〈秋官．大行人〉：「凡諸侯之邦交，殷相聘也。」《儀禮》有〈聘禮〉。

㈡《周禮．春官．大宗伯》：「春曰朝。」《書．堯典》：「五載一巡狩，群后四朝。」〈曲禮〉：「天子當宁而立，諸公東面，諸侯西面曰朝。」〈秋官．大行人〉：「凡諸侯之邦交……世相朝也。」《穀梁．桓二年傳》：「諸侯相見曰朝。」下文：「天子與諸侯無事相見曰朝。」是諸侯見天子、諸侯相見皆可曰朝，按之春秋是也。然皆小國以事大國者。

天子五年一巡狩㈠：歲二月東巡狩，至于岱宗，柴而望祀山川，覲諸侯，問百年者就見之。命大師陳詩，以觀民風；命市納賈，以觀民之所好惡，志淫好辟㈡。命典禮考時月定日，同律㈢，禮樂制度，衣服正之。山川神祇，有不舉者為不敬，不敬者君削以地。宗廟有不順者為不孝，不孝者，君絀以爵。變禮易樂者為不從，不從者君流。革制度衣服者為畔，畔者君討。有功德於民者，加地進律㈣。五月南巡狩，至于南嶽，如東巡狩之禮。八月西巡狩，至于西嶽，如南巡狩之禮。十有一月北巡狩，至于北嶽，如西巡狩之禮。歸假于祖禰，用特㈤。

㈠《書．堯典》：「五年一巡狩。」至于岱宗及南、西、北嶽。「歸格于藝祖，用特。」《周禮．秋官．大行人》：「十有二歲，王巡狩。」《孟子．告子下》：「天子適諸侯曰巡狩。」

㈡志淫好辟，鄭玄曰：「民志辟邪，則其好不正。」

㈢律，《漢書．郊祀志》：「同律度量度。」注：「律，六律也。」《周禮．春官．典同》：「掌六律六同之和。」〈月令〉：「律中太簇。」鄭玄曰：「候氣之管，以銅為之，……凡律空圍九分。」《國語．周語》：「先王之制鐘也，律度量衡，於是乎生。」

㊃律，《爾雅．釋詁》：「法也。」

㊄特，鄭玄曰：「特，牛也。」

天子將出，類㊀乎上帝，宜㊁乎社㊂，造㊃乎禰㊄。諸侯將出，宜乎社，造乎禰㊄。

㊀類，《詩．大雅．皇矣》：「是類是禡。」《周禮．春官．大祝》：「一曰類。」《爾雅．釋天．釋祭名》：「是禷是禡，師祭也。」《書．堯典》：「類于上帝。」

㊁宜，《爾雅．釋天．講武》：「大事動大眾，必先有是乎社而後出，謂之宜。」

㊂社，土神也，字本作土。《左》昭二十九年傳：「（蔡墨）對曰：『共工氏有子曰句龍，為后土。……后土為社。』」

㊃造，《周禮．春官．大祝》：「二曰造。」杜子春曰：「祭于祖也。」

㊄禰，《周禮．春官．甸祝》：「禰亦如之。」鄭眾曰：「父廟也。」

天子無事，與諸侯相見曰朝。考禮正刑，一德以尊于天子。天子賜諸侯樂，則以柷㊀將之；賜伯、子、男樂，則以鼗㊁將之。諸侯，賜弓矢然後征，賜鈇鉞然後殺，賜圭瓚㊂然後為鬯㊃；未賜圭瓚，則資㊄鬯於天子。

㊀柷，許慎曰：「樂木空也。所以止音為節。」

㊁鼗，字作鞀、鞉。〈釋名〉：「所以導樂作也。」鄭玄曰：「鼗如鼓而小，持其柄，搖之，旁耳還自擊。」見《詩．周頌．有瞽》、〈商頌．那〉，《儀禮．大射儀》，《周禮．春官．小師》，《論語．微子》等篇。

㊂圭瓚，《周禮．春官．典瑞》：「祼圭有瓚。」鄭眾曰：「於圭頭為器，可以挹鬯祼祭，

謂之瓚。」

㈣鬯，《詩．毛傳》：「香草也。築煮合而鬱之曰鬯。」鄭玄曰：「秬酒也。」

㈤資，鄭玄曰：「取也。」

按：天子之賜諸侯，見諸彝器者：吳彝、牧𣪘、舀壺、𥁰盨、毛公鼎、伯晨鼎、師訇𣪘、彔伯戎𣪘、師兌𣪘、呂鼎、大盂鼎、臣辰盉、虢季子白盤……諸器。見諸文獻者：《書》〈洛誥〉、〈文侯之命〉、《詩．大雅．江漢篇》（王命召虎）、《左》僖二十八年、昭十五年傳（晉文公）。

天子命之教，然後為學，小學在公宮南之左，大學在郊。天子曰辟雍㈠，諸侯曰頖宮㈡。

㈠辟雍，《詩．大雅．靈台》：「於樂辟雍。」

㈡頖宮，《詩．魯頌．泮水》：「既作泮宮。」〈禮器〉：「魯人將有事於澤，必先習射于泮宮。」

按《孟子．滕文公上》云：「設為庠、序、學、校以教之。庠者養也，校者教也，序者射也。夏曰校，殷曰序，周曰庠，學，則三代共之。」下文有有虞氏之上庠、下庠；夏后氏之東序、西序；殷人之右學、左學；周人之東膠、西郊虞庠。按之《詩》，辟雍、泮宮，乃獻馘之所，本不言其為學。至此篇始言之，并為出征、獻馘、受成之所。似至此，始將辟雍、泮宮與學，合而一者。然按之靜𣪘云：「王令靜司射學宮，……射於大池。」是學宮有池，習武在焉。而孟子又有「序射」之說，〈文王世子〉，有習干戈之事，是則作樂、獻馘、習射之所，亦即學之所在。故學宮一也，而文武於是舉之。蓋禮樂射御書數，本合文武以為教。則此篇之釋，或可據焉。

天子將出征，類乎上帝，宜乎社，造乎禰，禡㊀於所征之地。受命於祖，受成㊁於學。出征，執有罪，反，釋奠于學，以訊馘告㊂。

㊀禡，師祭名。見上引《詩》及《爾雅》。禡觶：「王用已（祀），王用禡。」

㊁成，鄭玄曰：「定兵謀也。」

㊂此本於〈泮水〉之詩以定制者。《周禮．宗伯》：「師還，獻愷于祖。」又司馬職：「愷樂獻于社。」

天子諸侯無事，則歲三田㊀，一為乾豆，二為賓客，三為充君之庖。無事而不田，曰不敬；田不以禮，曰暴天物。天子不合圍，諸侯不掩羣。天子殺，則下大綏㊁；諸侯殺，則下小綏；大夫殺，則止佐車，佐車止，則百姓田獵。獺祭魚㊂，然後虞人㊃入澤梁；豺祭獸㊄，然後田獵；鳩化為鷹，然後設罻羅；草木零落，然後入山林；昆蟲未蟄，不以火田；不麛㊅，不卵，不殺胎，不殀夭，不覆巢。

㊀田，《左》隱五年傳：「春蒐，夏苗，秋獮，冬狩。」《周禮．大司馬》、《爾雅．釋天．祭名》同。《穀梁》桓四年傳：「春曰田，夏曰苗，秋曰蒐，冬曰狩。」《爾雅．釋天．祭名》：「宵田為燎，火田曰狩。」

㊁綏，旂也。〈明堂位〉：「夏后氏之綏。」

㊂獺祭魚，〈月令〉在正月。

㊃虞人，《周禮．冢宰》：「虞衡人作山澤之材。」司徒有山虞、澤虞。《孟子．萬章下》：「（齊）景公田，召虞人以旌不至。」

㊄豺祭獸，〈月令〉在九月。〈夏小正〉在十月。

㊅麛，《國語》云：「獸長麛夭。」蓋謂獸未長者。

冢宰㈠制國用，必於歲之杪，五穀皆入，然後制國用，用地小大，視年之豐耗，以三十年之通，制國用，量入以為出，祭用數之仂㈡。喪三年不祭，唯祭天、地、社、稷㈢為越紼㈣而行事㈤。喪用三年之仂。喪祭用不足曰暴㈥，有餘曰浩㈦。祭，豐年不奢，凶年不儉。國無九年之畜曰不足，無六年之蓄曰急，無三年之蓄，曰國非其國也。三年耕，必有一年之食；九年耕，必有三年之食。以三十年之通，雖有凶旱水溢，民無菜色。然後天子食，日舉以樂㈧。

㈠冢宰，《周禮．天官．冢宰》。

㈡仂，《廣雅．釋詁》：「勤也。」用數之仂，言其用費之數，為勤儉所得者。下云：「喪用三年之仂」者，猶言喪事用三年勤儉所積蓄者。

㈢稷，穀神也。《左》昭二十九年傳：「（蔡墨）對曰：『稷，田正也。有烈山氏之子曰柱，為稷，自夏以上祀之。』」

㈣紼，鄭玄曰：「引棺索也。」《曲禮》：「助葬必執紼。」

㈤此言越喪禮而行之也。

㈥暴，鄭玄曰：「猶耗也。」

㈦浩，鄭玄曰：「猶饒也。」

㈧日舉以樂者，《周禮．宗伯．大司樂》：「王大食，三宥，皆令奏鐘鼓。」

天子七日而殯，七月而葬；諸侯五日而殯，五月而葬；大夫、士、庶人，三日而殯，三月而葬㈠。三年之喪，自天子達㈡。庶人縣封，葬，不為雨止；不封不樹，喪不貳事。自天子達於庶人，喪從死者，祭從生者㈢。支子不祭㈣。

㈠葬期，《左》隱元年傳：「天子七月而葬，……諸侯五月而葬……大夫三月而葬……士踰月。」《儀禮·士虞禮·記》：「三日而殯，三月而葬。」〈禮器〉：「天子七月而葬，諸侯五月而葬，大夫三月而葬。」〈雜記〉：「士三月而葬，大夫三月而葬，諸侯五月而葬。」

㊁三年之喪，見《論語》孔子答子張（憲問）及宰我問（陽貨），《孟子·滕文公》、《左》昭十五年傳叔向語（謂后及太子），〈禮器〉：「孔子曰：『大連、少連善居喪，……三年憂，東夷之子也。』」傅孟真先生以言三年喪者，多稱殷人，孟子言魯國不行，疑其制為殷代之習，而儒者行之（見《傅孟真先生集》四冊二十七葉）。若〈禮器〉孔子之言可信，則東夷亦行此禮。

㊂喪從死者，祭從生者。〈中庸〉：「父為大夫子為士，葬以大夫祭以士；父為士，子為大夫，葬以士，祭以大夫。」

㊃《曲禮下》：「支子不祭，祭必告於宗子。」

天子七廟，三昭三穆，與太祖之廟而七。諸侯五廟，二昭二穆，與太祖之廟而五。大夫三廟，一昭一穆，與太祖之廟而三。士一廟。庶人祭於寢㊀。

㊀《穀梁》僖十五年傳、〈曾子問〉、〈禮器〉、〈祭法〉，天子之數與此同。〈喪服小記〉：「王者四廟。」

天子諸侯宗廟之祭：春曰礿㊀**，夏曰禘**㊁**，秋曰嘗**㊂**，冬曰烝**㊃。

㊀礿，字亦作禴，臣辰盉、卣諸器，有「大禴」，《易》萃、既濟有「用禴」及「禴祭」。《詩·小雅·天保》：「禴、祠、烝、嘗。」《公羊》桓八年傳、《周禮·大宗伯·司尊彝》、《爾雅·釋天》，春祭曰祠。〈郊特牲〉、〈祭義〉，春祭曰禘。〈祭統〉與此同。

㈡禘，甲骨有貞帝之文，夨𣪘二（在六月）、剌鼎（在五月）有啻（禘）祭。《春秋・閔二年》：「夏五月禘于莊公」，〈明堂位〉：「季夏六月，以禘禮祀周公于太廟。」〈祭統〉言在夏。《左》昭十五年在春（經言有事），定八年在冬十月，《春秋・僖八年》在七月，〈雜記〉：「七月而禘，獻子為之也。」《周禮・大宗伯・司尊彝》、《爾雅・釋天》、《公羊》桓八年傳、〈明堂位〉夏曰礿。《左》僖三十三年傳、《國語・魯語》、《論語・八佾》、〈曾子問〉、〈喪服小記〉、〈大傳〉、〈學記〉、〈祭法〉、〈中庸〉不言時。至三年五年之說，恐為後起，不俱論。

㈢嘗，《詩・魯頌・閟宮》云在秋日，《春秋・桓十四年》在八月（左氏、公、穀有傳），《國語》、《楚語》、《左》桓五年、《周禮・大宗伯》、司尊彝、《爾雅・釋天》、《公羊》桓八年、〈郊特牲〉、〈明堂位〉、〈祭義〉、〈祭統〉皆曰秋祭。《左》襄二十八年傳在十一月。效尊、姬鼎、陳侯因資錞、陳侯午錞、《詩・大雅・楚茨》、〈天保〉、〈商頌・那〉、《左》襄二十二年傳、《國語・魯語》、《左》僖三十三年傳、《穀》僖三十一年傳、〈曾子問〉、〈中庸〉，皆不言祭時。

㈣烝，畢段毀，《書・洛誥》、《左》襄二十八年傳、昭元年、桓五年傳、《國語》、《楚語》、《周禮・大宗伯・司尊彝》、《公羊・桓八年》、《爾雅・釋天》、〈月令〉、〈明堂位〉、〈祭統〉皆言冬祭。《春秋・桓八年》在正月，《左》襄十六年在春，《國語・周語》：「獮于既烝。」以《左氏》、《周禮》、《爾雅》之獮在秋證之，則謂烝亦在冬時。唯《春秋・桓八年》又在夏五月。盂鼎、姬鼎、陳侯因資錞、陳侯午錞、《詩・大雅・楚茨》、〈天保〉、〈商頌・那〉、《左》僖三十三年傳不言祭時。

天子祭天地，諸侯祭社稷，大夫祭五祀㈠。天子祭天下名山大川，五嶽㈡視三公，四瀆

㊂視諸侯。諸侯祭名山大川之在其地者㊃。

㊀五祀，《周禮．大宗伯》以血祭五祀。〈月令〉五祀，戶、竈、中霤、門、行。〈祭法〉，諸侯祭五祀，司命、中霤、國門、國行、公厲（王者七祀多戶竈，大夫三祀曰族厲、門、行）。

㊁五嶽，見《周禮．大宗伯》、〈大司樂〉。班固《漢書．郊祀志》，即以今之五嶽當之。

㊂四瀆，《爾雅．釋水》：「江、河、淮、濟為四瀆。」酈道元《水經．河水注》：「自河入濟，自濟入淮，自淮達江，水徑周通，故有四瀆之名也。」又見《漢書．郊祀志》。

㊃魯人，齊人祭泰山（《論語．季氏》、〈禮器〉），晉人祭河是（〈禮器〉）。《曲禮下》言天子、諸侯之所祀。

天子、諸侯，祭因國之在其地，而無主後者。

天子犆㊀礿、祫㊁禘、祫嘗、祫烝。諸侯礿則不禘，禘則不嘗，嘗則不烝，烝則不礿。諸侯礿犆；禘一，犆一祫；嘗祫，烝祫。

㊀犆，鄭玄曰：「猶一也。」

㊁祫，《公羊》文元年傳，以「大事」為祫。《穀梁》僖三十一年傳，以「大事」為祫。又文二年傳：「著祫嘗。」又見《儀禮．士虞禮．記》，〈曾子問〉等。《漢舊儀》，三年一大祫祭之。

天子社稷皆太牢，諸侯社稷皆少牢。大夫、士宗廟之祭，有田則祭，無田則薦㊀。庶人春薦韭㊁，夏薦麥㊂，秋薦黍㊃，冬薦稻㊄。韭以卵，麥以魚，黍以豚，稻以鴈。祭天地之牛角繭栗；宗廟之牛角握；賓客之牛角尺。諸侯無故不殺牛，大夫無故不殺羊，士

無故不殺犬豕，庶人無故不食珍。

㈠薦，薦新也。見《儀禮・士喪》、〈月令〉。

㈡〈月令〉，季春薦鮪。

㈢〈月令〉，孟夏薦麥。

㈣〈月令〉，孟秋薦黍。

㈤〈月令〉，季冬薦稻。

庶羞㈠不踰牲，燕衣不踰祭服，寢不踰廟。

㈠庶羞，鄭玄曰：「羞出於牲，及禽獸，以備滋味，為之庶羞。」見《周禮》〈冢宰〉、〈膳夫〉、〈大司徒〉、〈牛人〉、〈小子〉、〈考工記〉、〈廬人〉、〈籩人〉等職。《儀禮》〈有司徹〉、〈大射儀〉。

大夫祭器不假，祭器未成，不造燕器㈠。

㈠〈曲禮〉：「凡家造祭器為先。」

古者公田㈠，藉而不稅㈡，市廛而不稅㈢，關譏而不征㈣。林麓川澤，以時入而不禁。夫圭田㈤無征。

㈠薦，薦新也。見《儀禮・士喪》、〈月令〉。

㈡〈月令〉，季春薦鮪。

㈢〈月令〉，孟夏薦麥。

㈣〈月令〉，孟秋薦黍。

㈤〈月令〉，季冬薦稻。

用民之力，歲不過三日。田里不粥，墓地不請。司空㈠執度㈡，度地居民，山川沮澤，時四時，量地遠近，興事任力。凡使民：任老者之事，食壯者之食。

㈠司空，〈曲禮下〉：天子之五官有司空。《周禮》無司空，《春秋》周（《左》定四年傳）、魯、宋、晉、陳皆有是官。金文作司工。

㈡度，鄭玄曰：「丈尺也。」

凡居民材，必因天地寒、煖、燥、濕，廣川、大谷異制，民生其間者異俗，剛、柔、輕、重、遲、速異齊，五味異和，器械異制，衣服異宜。修其教，不易其俗；齊其政，不易其宜。中國、戎夷，五方之民，皆有其性也，不可推移。東方曰夷㈠，被髮文身，有不火食者矣。南方曰蠻㈡，雕題㈢交趾㈣，有不火食者矣。西方曰戎㈤，被髮衣皮，有不粒食者矣。北方曰狄㈥，羽毛穴居，有不粒食者矣。中國、夷、蠻、戎、狄，皆有安居、和味、宜服、利用、備器。五方之民，言語不通，嗜欲不同。達其志，通其欲。東方曰寄，南方曰象，西方曰狄鞮，北方曰譯㈦。凡居民，量地以制邑，度地以居民。地、邑、民、居，必參相得也。無曠土，無遊民，食節事時，民咸安其居。樂事勸功，尊君親上，然後興學。

㈠夷，金文周公有征鼎、小臣謎毀、疐鼎、成鼎、宗周鐘皆言東夷。旅鼎只言夷。成鼎、宗周鐘、竸卣、無其毀，則言南夷。敔毀、南仲盨、仲偁父鼎、兮甲盤則言南淮夷。彔伯戜卣、師寰毀、曾伯霥簠只言淮夷。《詩．大雅．江漢》、《孟子．離婁下》、《左》僖二十二年傳（郲子殷為東夷）、文六年傳、文九年傳、昭五年傳言東夷。《大戴·千乘篇》言東方曰夷。《詩·魯頌·泮水》、〈閟宮〉、《書·費誓》、《春秋》昭四年、《左》昭四年傳、二十七年傳言淮夷。是夷本在東土，南遷于淮，遂有南夷、淮夷、南淮夷之稱。然《詩·大雅·皇矣》串夷、縣混夷，似在西陲。至孟子（〈梁惠王下〉）引《書》言：「東面而征西夷怨」。〈離婁下〉稱文王為「西夷之人」則西方或亦有夷族。《論語》、《周禮·夏官·職方氏》四夷。《論語》、《公羊·隱四年傳》、《爾雅·四極》，〈明堂位〉（《逸周書·明堂解》作夷國），九夷。此言夷之別也（下蠻、戎、狄仿此）。其詳可參《後漢書·東夷傳》。

㈡蠻，《左》文十六年，始見《春秋》。《孟子·滕文公上》：「南蠻鴂舌之人。」《大戴·千乘篇》，亦言南蠻。《周禮·夏官·職方氏》、〈明堂位〉、《逸周書·明堂解》皆言八蠻。《爾雅·釋地·四極》言六蠻。為梁伯戈稱鬼方（在北）為蠻；虢季子白盤，稱玁狁（在北）為蠻，是蠻人有在朔方者。

㈢雕題，孔穎達曰：「雕謂刻也。題，謂額也。」

㈣交趾，鄭玄曰：「足相向然。」

㈤戎，《大戴·千乘篇》：「西辟之民曰戎。」周幽亡于犬戎（《左》閔二年傳、《史記·周本紀》、〈秦本紀〉），晉獻娶于驪戎（姬姓）（《左》莊二十八年傳），又有姜戎（《左》僖三十三年傳），秦穆公霸西戎。唯徐乃淮夷之國（見上夷下，所引史料），而《書·費誓》亦稱「徐戎」。陸渾戎本在西北，後遷伊川（《左》僖二十二年傳）。《周禮·夏官·職方氏》：「五戎」，《公羊》隱四年傳、〈明堂位〉、《逸周書·明堂解》「六戎」，《爾雅·四極》：「七戎」。《後漢書·西羌傳》可參。

㈥狄，《大戴·千乘篇》：「北辟之民曰狄。」《春秋》宣三年、十五年、十六年、《左》

宣六年傳、七年傳、十六年傳、成三年傳，有赤狄。《春秋・宣八年》、〈九年〉有白狄。《左》文十一年傳有長狄。《公羊》隱元年傳、《逸周書・明堂解》，言「五狄」。《周禮・夏官・職方氏》言「六狄」。〈明堂位〉、《爾雅・釋地・四極》言：「八狄」。夷、戎、狄自殷末周初，即為患中國，歷春秋不衰（詳見《春秋》及《左氏》諸傳。）

㈦鄭玄曰：「皆俗間之名，依其事類爾。」

司徒㈠修六禮以節民性，明七教以興民德，齊八政㈡以防淫，一道德以同俗，養耆老以致孝，恤孤獨以逮不足，上賢以崇德，簡不肖以絀惡。

㈠司徒，《周禮》有司徒職，掌教之官。春秋周、魯、宋、晉、楚、鄭、衛皆有是官。

㈡見下文。

命鄉簡不帥教者，以告。耆老皆朝于庠㈠，元日㈡，習射㈢上功，習鄉㈣上齒，大司徒帥國之俊士，與執事焉。不變㈤，命國之右鄉，簡不帥教者，移之左；命國之左鄉，簡不帥教者，移之右，如初禮㈥。不變，移之郊，如初禮。不變，移之遂㈦，如初禮。不變，屏之遠方，終身不齒。

㈠庠，班固、鄭玄等皆謂「鄉曰庠。」見《孟子》（上引）、〈明堂位〉、〈鄉飲酒義〉、〈學記〉，及下文。

㈡元日，一日也。《書・堯典》：「月正元日。」

㈢《周禮・大司徒》：「射于州序。」與此異。

㈣鄉，鄭玄以為鄉飲酒。

㈤不變，指不帥教者言也。

㈥如初禮，如耆老朝庠等節。
㈦遂，地域政區之稱。《周禮．大司徒》有遂人。

命鄉論秀士，升之司徒，曰選士。司徒論選士之秀者，而升之學，曰俊士。升於司徒者，不征㈠於鄉；升於學者，不征於司徒，曰造士。

㈠不征，鄭玄曰：「不給其繇役。」

樂正㈠崇四術，立四教，順先王《詩》、《書》、禮、樂以造士，春秋教以禮、樂，冬夏教以《詩》、《書》㈡。王大子，王子，羣后之大子㈢，卿、大夫、元士之適子，國之俊選皆造焉。凡入學以齒。將出學，小胥，大胥㈣，小樂正，簡不帥教者，以告于大樂正㈤。大樂正以告于王。王命三公、九卿、大夫、元士，皆入學。不變㈥，王親視學。不變，王三日不舉㈦，屏之遠方。西方曰棘，東方曰寄，終身不齒。

㈠樂正，《書．堯典》：「命汝典樂教胄子。」《周禮．大宗伯》「大司樂」、「樂師」。
㈡〈文王世子〉：「禮在瞽宗，書在上庠。」
㈢諸侯之大子。
㈣見《周禮．春官》。
㈤小樂正、大樂正不見於《周禮》。
㈥不變，謂學子不受教也。
㈦不舉，不舉樂也。

按入學之年，孔穎達引《尚書．周傳》云：「王子、公、卿、大夫、元士之適子，十五入小學，二十入大學。」

大樂正論造士之秀者，以告于王，而升諸司馬，曰進士。司馬㈠辨論官材，論進士之賢者，以告于王，而定其論。論定然後官之，任官然後爵之，位定然後祿之。大夫廢其事，終身不仕，死以士禮葬之。

㈠司馬，春秋魯、晉、鄭、蔡皆有是官。宋、楚有大司馬。周禮有司馬。

有發㈠，則命大司徒，教士以車甲。凡執技、論力，適四方；臝㈡股肱，決射御。凡執技以事上，祝㈢、史、射、御、醫、卜及百工㈣。凡執技以事上者，不貳事，不移官，出鄉不與士齒。仕於家者，出鄉不與士齒。

㈠發，鄭玄曰：「軍師發卒。」
㈡臝，《集韻》：「袒也。」
㈢見《春秋》、《左氏傳》、《周禮》及〈曲禮〉。
㈣百工，百官也。《書．洛誥》即矢令尊、彝等。

司寇㈠正刑、明辟㈡，以聽獄訟，必三刺㈢，有旨㈣，無簡㈤，不聽。附㈥從輕，赦從重㈦。凡制五刑㈧，必即天論㈨。郵罰麗於事㈩。凡聽五刑之訟，必原父子之親，立君臣之義，以權之。意論輕重之序，慎測淺深之量以別之。悉其聰明，致其忠愛以盡之⑪。疑獄，氾與眾共之⑫；獄疑，赦之，必察小大之比以成之⑬。成獄辭，史以獄成告於正，正聽之。正以獄成告於大司寇⑭，大司寇聽之棘木之下⑮。大司寇以獄之成告於王，王命三公參聽之。三公以獄之成告於王，王三又⑯，然後制刑。凡作刑罰輕無赦。

㈠司寇，春秋魯、晉、齊、鄭、衛、虞皆有是官。《周禮》有大、小司寇。
㈡辟，鄭玄曰：「罪也。」

㊂三刺，《周禮·秋官·司刺》云：「一刺曰訊群臣，再刺曰訊群吏，三刺曰訊萬民。」按刺有採取、探候之意（見《漢書·郊祀志·丙吉傳》注）。故三刺，猶言三次探訊也。

㊃旨，意也。

㊄簡，蓋謂憑證也。

㊅附，鄭玄曰：「施刑也。」

㊆赦從重，鄭玄曰：「雖是罪可重，猶赦之。」

㊇五刑，《周禮·大司寇》有五刑。

㊈天論，陸德明曰：「理也。」鄭玄曰：「或作倫。」

㊉郵罰麗於事者，鄭玄曰：「郵，過也。麗，附也。過人罰人，當各附於其事，不可假他以喜怒。」

⑪自「凡聽五刑之訟」，至「以盡之」，皆謂聽之人，必原此六者，以權、以別、以盡之也。

⑫汜與眾共之，孔穎達曰：「汜，廣也。」又云：「與眾共論決之。」

⑬必察小大之比以成之者，孔穎達曰：「小大，猶輕重也。比，例也。已行故事曰比。此言雖疑而赦之，不可直爾而放，當必察按舊法輕重之例，以成於事。」

⑭大司寇，春秋魯、宋有是官。

⑮《周禮·大司寇》職朝士，建外朝九棘之位。

⑯三又，《周禮·大司徒》作「三宥。」鄭玄曰：「寬也。」

刑者侀也，侀者成也，一成而不可變，故君子盡心焉。析言破律，亂名改作，執左道以亂政殺。作淫聲異服、奇技奇器。以疑眾殺。行偽而堅，言偽而辯，學非而博，順非而澤㊀，以疑眾殺。假於鬼神、時日、卜筮，以疑眾殺。此四誅者不以聽。凡執禁以齊

眾，不赦過。

㊀順非而澤者，孔穎達曰：「順從非違之事，而能光澤文飾。」

有圭㊀、璧㊁、金、璋㊂，不粥於市；命服、命車，不粥於市；宗廟之器，不粥於市；犧牲不粥於市；戎器不粥於市；用器不中度，不粥於市；兵車不中度，不粥於市。布帛精麤不中數，幅廣狹不中量，不粥於市；姦色亂正色，不粥於市；錦文珠玉成器，不粥於市；衣服飲食，不粥於市；五穀不時，果實未孰，不粥於市。木不中伐，不粥於市。禽獸魚鼈不中殺，不粥於市。關執禁以譏，禁異服，識異言。

㊀圭，許慎曰：「瑞玉也，上圓下方。」《周禮·春官》職典瑞，天子大圭（三尺，考工玉人），鎮圭（尺二寸，仝上）。公，桓圭（九寸，仝上），穀圭（七寸，仝上），琬圭（九寸，仝上），琰圭（九寸，仝上。）《書·顧命》：「太保承介圭。」《詩·大雅·韓奕》：「以其（韓侯）介圭，入覲於王。」《爾雅·釋器》：「圭六尺二寸，謂之玠。」

㊁璧，《爾雅·釋器》：「璧大六寸謂之宣，肉被好謂之璧。」《國策》注：「玉環也。肉倍好曰璧。」《周禮·春官·典瑞》，子穀璧，男蒲璧（五寸，《周禮·秋官·大行人》）。

㊂璋，《周禮·考工記·玉人》：「大璋中璋九寸，邊璋七寸，射四寸，厚寸，黃金勺，青金外，朱中，鼻寸，衡四寸。」《爾雅·釋器》：「璋大八寸謂之琡。」又有牙璋。〈玉人〉云：「中璋七寸，射二寸。」《詩》毛傳、許慎、鄭玄皆曰：「半圭」為璋。此三器之用，詳《儀禮·覲禮》、〈聘禮〉、《周禮·典瑞》、〈大行人〉、〈考工〉、〈玉人〉。

大史典禮，執簡記，奉諱惡㊀。

㊀《周禮·春官》職，大史掌六典，法、則。即此所謂禮也。執簡者，如齊之大史，晉之董

狐。奉諱惡，如大喪讀誄，小喪賜謚（大史職）是也。

天子齊戒受諫。司會㈠以歲之成，質㈡於天子，冢宰齊戒受質。大樂正、大司寇、市㈢三官以其成，從㈣質於天子；大司徒、大司馬、大司空，齊戒受質。百官各以其成，質於三官㈤，大司徒、大司馬、大司空，以百官之成質於天子。百官齊戒受質。然後休老勞農，成歲事，制國用。

㈠司會，《周禮．冢宰職》有司會。
㈡質，猶告也。《詩．大雅．抑》：「質爾人民」，《說苑．修文》引作告。
㈢市，《周禮．地官》有司市。
㈣從，鄭玄曰：「從司會也。」
㈤三官，謂大司徒、大司馬、大司空也。

凡養老，有虞氏以燕禮，夏后氏以饗禮，殷人以食禮，周人修而兼用之。五十養於鄉，六十養於國，七十養於學，達於諸侯。

八十拜君命，一坐再至㈠，瞽亦如之。九十使人受。五十異粻㈡，六十宿肉，七十貳膳，八十常珍；九十飲食不離寢，膳飲從於遊可也。六十歲制㈢，七十時制，八十月制；九十日脩，唯絞㈣、紟㈤、衾㈥、冒㈦，死而后制。五十始衰，六十非肉不飽㈧，七十非帛不煖㈨，八十非人不煖，九十雖得人不煖矣。五十杖於家，六十杖於鄉，七十杖於國，八十杖於朝；九十者，天子欲有問焉，則就其室，以珍從。七十不俟朝，八十月告存，九十日有秩㈩。五十不從力政，六十不與服戎，七十不與賓客之事，八十齊喪之事弗及也。五十而爵，六十不親學，七十致政，唯衰麻為喪。

㊀至，謂致命也。
㊁粻，鄭玄曰：「糧也。」
㊂制，制喪具也。
㊃絞，《儀禮・士喪禮》：「絞，橫三，縮一，廣終幅，析其末。」
㊄紟，〈士喪禮〉：「絞、紟、衾二。」鄭玄曰：「單被也。」
㊅衾，〈士喪禮〉，歛用衾。鄭玄曰：「被也。」
㊆冒，〈士喪禮〉：「緇質，長與手齊，經殺，掩足。」鄭玄曰：「韜尸者，制如直囊，上曰質，下曰殺。」
㊇《孟子・盡心上》：「七十非肉不飽。」
㊈仝上，「五十非帛不煖。」
㊉秩，鄭玄曰：「常也。」

有虞氏養國老於上庠，養庶老於下庠。夏后氏養國老於東序，養庶老於西序。殷人養國老於右學，養庶老於左學。周人養國老於東膠，養庶老於虞庠；虞庠在國之西郊。有虞氏皇㊀而祭，深衣㊁而養老。夏后氏收㊂而祭，燕衣而養老。殷人冔㊃而祭，縞衣而養老。周人冕㊄而祭，玄衣而養老。凡三王養老，皆引㊅年。

㊀皇，鄭玄曰：「冕屬。」
㊁深衣，〈深衣篇〉言之綦詳。
㊂收，《廣雅・釋器》：「冠也。」《禮記・士冠》：「夏收。」
㊃冔，《詩・大雅・文王》：「殷士膚敏，……嘗服黻冔。」《禮記・士冠》：「殷冔。」〈曾子問〉《釋文》引《字林》作「縙。」

㊄冕，《周禮・春官・司服》有五冕。

㊅引，《爾雅・釋詁》，毛《傳》：「長也。」皆引年者，謂以長年者為尊，長長之意也。

八十者，一子不從政。九十者，其家不從政。廢疾非人不養者，一人不從政。父母之喪，三年不從政。齊衰、大功㊀之喪，三月不從政。將從於諸侯，三月不從政。自諸侯來徙家，期不從政。

㊀大功、九月、七月之喪，詳《儀禮・士喪禮》大功章。

少而無父者謂之孤，老而無子者謂之獨，老而無妻者謂之矜㊀，老而無夫者謂之寡。此四者，天民之窮而無告者也，皆有常餼㊁。

㊀陸德明曰：「本又作鰥。」《孝經》作「鰥」。

㊁餼，鄭玄曰：「稟也。」

瘖、聾、跛、躃、斷者、侏儒㊀，百工各以其器食之。

㊀侏儒，鄭玄曰：「短人也。」《左》襄四年傳：「侏儒是使。」謂魯臧紇也。

道路：男子由右，婦人由左，車從中央。父之齒隨行，兄之齒鴈行，朋友不相踰。輕任并，重任分，班白不提挈。君子㊀耆老不徒行，庶人耆老不徒食。

㊀君子，有位者。

方一里者，為田九百畝。方十里者，為方一里者百，為田九萬畝。方百里者，為方十里者百，為田九十億畝。方千里者，為方百里者百，為田九萬㊀億畝。

㊀萬，應作千。

自恒山至於南河，千里而近；自南河至於江，千里而近；自江至於衡山，千里而遙；自東河至於東海，千里而遙；自東河至於西河，千里而近；自西河至於流沙，千里而遙。西不盡流沙，南不盡衡山，東不盡東海，北不盡恆山，凡四海之內，斷長補短，方三千里，為田八十萬億一萬億畝。方百里者為田九十億畝。山陵、林麓、川澤、溝瀆、城郭、宮室、塗巷三分去一，其餘六十億畝。

古者以周尺㊀八尺為步，今以周尺六尺四寸為步。古者百畝，當今東田百四十六畝三十步。古者百里，當今百二十一里六十步四尺二寸二分。

㊀周尺，福開森洛陽尺比公尺〇・二三一。新莽嘉量斛尺同。

方千里者，為方百里者百。封，方百里者三十國，其餘方百里者七十。又封方七十里者六十，為方百里者二十九，方十里者四十。其餘方百里者四十，方十里者六十。又封方五十里者百二十，為方百里者三十；其餘方百里者十，方十里者六十。名山、大澤不以封，其餘以為附庸閒田，諸侯之有功者，取於閒田以祿之。其有削地者，歸之閒田。天子之縣內，方千里者，為方百里者百。封方百里者九，其餘方百里者九十一。又封方七十里者二十一，為方百里者十，方十里者二十九。其餘方百里者八十，方十里者七十一。又封方五十里者六十三，為方百里者十五，方十里者七十五。其餘方百里者六十四，方十里者九十六。

諸侯之下士，祿食九人；中士食十八人，上士食三十六人。下大夫食七十二人，卿食二百八十八人，君食二千八百八十人㊀。次國之卿，食二百一十六人，君食二千一百六十人。小國之卿，食百四十四人，君食千四百四十人。次國之卿，命於其君者，如小國之卿。

㈠此大國也。

按：此係解上文「諸侯之下士，視上農夫」節。

天子之大夫為三監，監於諸侯之國者，其祿視諸侯之卿，其爵視次國之君，其祿取之於方伯之地。

方伯為朝天子，皆有湯沐㈠之邑於天子之縣內，視元士㈡。

㈠湯沐者，《後漢書．和熹鄧皇后紀》注：「取其賦稅，以供湯沐之具也。」

㈡視元士者，孔穎達曰：「前文云：『不能五十里者，視附庸。』又云：『天子之元士，是附庸。』以湯沐之邑視元士，亦五十里之邑。」

諸侯世子世國，大夫不世爵。使以德，爵以功。未賜爵，視天子之元士，以君其國。諸侯之大夫，不世爵祿。

六禮：冠、昏、喪、祭、鄉、相見㈠。

㈠《儀禮》有之。

七教：父子、兄弟、夫婦、君臣、長幼、朋友、賓客。

八政：飲食、衣服、事為、異別、度、量、數、制。

收入《中國政治思想與制度史論集》，第二六篇，第一至二六頁，中華文化出版事業委員會，一九五五年出版。

如何讀經

這一個題目，從前和現在，都已經有人討論過。雖然是仁者見仁，智者見智，但是，除了那些沒有近代學術觀念的人以外，意見大多是可採取的。我在這裡，本來沒有什麼特別的意見。不過《中國一周》出了這個題目叫我寫，我又想現在各級師範，都有《四書》一門功課。有的大學一年級也在教授《孟子》，或《論語》；或三四年級專授一經的。在這種情況下，兼以關於這類舊有的文章不易讀到的時候，我想略為談一談，或者對於一般的學子，有助於其常識。至於提供專門的研究，恐怕這裡不能多講；不過也略示其途徑罷了。

一、「經」名之起及其所包括之各書

「經」之一名，大概是戰國的時候才有的。《荀子．勸學篇》說：

其學惡乎始？惡乎終？其數，則始乎誦「經」，終乎讀禮。

《莊子．天下篇》並且有「六經」之名，大約就是指的《禮記》〈經解篇〉裡的《易》、《書》、《詩》、《禮》、《禮》、《春秋》六部書（先秦都稱其本名）。〈天道篇〉裡，又有「十二經」之名。至十二經所指的是那幾部書（當然有六經在內），因為沒有證據，就不敢說了（有說六經加六緯。有說易上下經，並《十翼》為十二。又一云：《春秋》十二公經也。按：說皆無據）。

這「六經」在秦、漢初人的記載裡，都是指的〈經解篇〉裡那六部書（如《漢書．藝文志》。漢人亦稱曰「六藝」如劉氏有〈六藝略〉，鄭玄有〈六藝論〉）。不過「樂經」早亡（平帝時立博士，蓋以儒家之樂論充之，非有先秦舊籍也），故漢人多稱曰「五經」。可見

「經」之一名，在秦漢時候，已經是很通行的了。不但有了經名，並且有靠著它來吃飯的人——博士（秦、漢初有博士。漢武帝建元五年，始置五經博士，前此文帝時，有一經博士，及《論語》、《孝經》傳記博士）。所以博士，也可稱作「經生」（《後漢書·蔡元傳》注）。

到了後漢靈帝熹平年間，所刻的石經，又加了兩種，《禮記》和《論語》（這兩種，一為漢人所輯儒家舊說，或西漢初儒家所作。一本儒門舊纂，在西漢稱「傳」。《春秋》也是用的《公羊傳》（說詳下）。為「七經」。唐朝又添《周禮》、《春秋》、《穀梁傳》為「九經」。到文宗開成所刻石經，《春秋》則加《左氏》，外加《孝經》、《爾雅》，是為「十二經」。宋神宗時又添上《孟子》，為「十三經」。這就是我們現在常說的十三經了。

為什麼先秦稱《易》、《詩》、《書》、《禮》、《樂》、《春秋》這六部書為經呢？因為乃是歷史上的「高文典冊」，並且也是儒家教人經世處人之典（秦漢以後，儒家已領袖群倫。《莊子》之稱為經，蓋亦襲自儒家）。至於《論語》等書之加入，乃因經學本出自儒家（出於司徒之官，後用以教授），又儒家為皇室之所獨尊（漢武帝「罷除百家，獨尊孔子」），故也就側入經學之列了。

關於可考見它們的簡冊，五經，在漢朝是把他寫在二尺四寸的木或竹的簡上（見王充《論衡·謝短篇》，鄭玄〈論語序〉見《儀禮·聘禮》賈公彥《疏》引。本作尺二寸，茲據阮元校刊記改。又見《左傳》孔穎達《正義》引。《通典·五四》引許敬宗〈奏〉。）《孝經》是寫在一尺二寸的簡上（見鄭玄〈論語序〉），《論語》則寫在六寸的簡上（亦見鄭〈序〉），漢人稱「專」（即「傳」字）為六寸簿（《說文》）。其實一尺二寸簡上所記載的也是「傳」。所以《論語》、《孝經》稱為傳。

二、經之性質和它的傳授源流

易　《易經》本來是占卦用的，「及秦燔《詩》、《書》，《易》為筮卜之事，傳者不絕」（《漢書．藝文志》），便是明證。它是先畫了乾（☰）坤（☷）等八個三畫之卦；因為只有這八卦，是不能辨別吉凶的。所以又合兩個三畫之卦為一卦，重為六十四卦。又有〈卦〉、〈爻辭〉之作，更可助人之瞭解。這些都是西周初年的作品（我的朋友屈萬里先生有說）。戰國至漢朝的儒家又加入《十翼》（〈上彖〉、〈下彖〉、〈上象〉、〈下象〉、〈上繫〉、〈下繫〉、〈文言〉、〈說卦〉、〈序卦〉、〈雜卦〉十篇），遂成為談儒家思想的一部書了。

書　都是殷和周代的制誥之文，秦朝的博士，濟南伏生，因為秦亂，藏到屋壁裡，漢興只得到二十九篇，以教授齊魯間。大小夏侯，歐陽氏立於學官者也。據《漢書．藝文志》，漢武帝時，魯恭王壞孔子壁，得古文《尚書》，孔安國校之，比伏生傳者多十六篇。後亡不存。此即晉人所據以為偽書者。這真偽的問題，到了清朝的閻若璩《古文尚書疏證》，可說已成定論了。這部書也是孔子所常言的（《論語》：「子所雅言，《詩》、《書》、執禮。」）

詩　是分〈風〉、〈小雅〉、〈大雅〉、〈頌〉四部份的。〈風〉是民間的歌謠。〈小雅〉是宴饗之樂，〈大雅〉是朝會之樂。〈頌〉是歌而兼舞之義，是祭祀神和祖先的樂歌。皆是周代之產品（〈商頌〉亦出宋國）。孔子拿它來教學生，並且自衛反魯後，曾經加以釐正。今本為漢毛公所傳（古文，平帝時始立博士），除逸者六篇外，共存三百零五篇。其外尚有齊、魯、韓三家《詩》（文、景時申公、轅固生、韓嬰為博士），齊《詩》亡於魏，魯《詩》亡於西晉，韓《詩》到唐還存在著（有人說北宋時還有），以後就只存《外傳》十卷了。現在毛《詩》的本子，前邊有序，大概是漢朝衛宏作的（《後漢書．藝文志》）。

禮　漢初高堂生所傳，蓋即今之《儀禮》十七篇也。這十七篇裡，只有〈士喪禮〉是孔子的時候傳下來的，其他各篇，恐怕是春秋以後至漢初的儒生所作的（余有說，此不具引）。戴德、戴聖、慶普於宣帝時，皆立於學官。這部書，除了經文以外，還有「記」。〈喪服〉一篇，更有「傳」。大都是後儒作的。再《周禮》一書，本為儒者政治理想之制度，發現較遲（大概戰國時儒家所作），王莽時，劉歆始置博士。內分〈天〉、〈地〉、〈春〉、〈夏〉、〈秋〉、〈冬〉六官，〈冬官〉亡，以〈考工記〉補之。可以說是一部官職表。《禮記》呢？本來是分大戴（戴德）、小戴（戴聖）兩《記》的。大戴是八十五篇，小戴是四十九篇，都是集合儒家的作品。《大戴記》已是殘篇斷簡。十三經的《禮記》，是專指《小戴記》說的。

春秋　本來是魯國的史記。儒家本為舊典所寄託之家，所以這部書也與儒家發生了關係。到了漢朝，就有公羊（齊人，顏師古曰名高），穀梁（魯人，顏師古曰名喜）兩氏來作傳，以解釋經文。還有鄒氏、夾氏，一因無師，一因無書，所以不傳。至於《左傳》，本來是另外一部書，與《春秋經》無關的。《漢書．藝文志》「《左氏傳》三十卷」自注：「左丘明，魯大夫。」因為劉歆硬拉它比附《春秋》，所以這《公》、《穀》、《左》就成了「春秋三傳」。《公羊》武帝時，《穀梁》宣帝時，立於學官。《左傳》到了元帝時始有博士（《漢書．儒林傳》）。

論語　本是「孔子應答弟子時人及弟子相與言，而接聞於夫子之語也。當時弟子各有所記，夫子既卒，門人相與輯而論纂，故謂之《論語》」（《漢書．藝文志》）。班固的這幾句話，把《論語》的性質，及其成書的時代，說的非常清楚。至於《論語》這兩個字怎麼講呢？我想唐朝陸德明說的最好：他說「論」次也，撰也。就是把一些話編次起來的意思。不過這個名字並不太早，是漢朝孔安國才給它定名的。再早期只稱它曰《傳》。漢武帝前，它與《孝經》都立學官，叫作「傳記博士」。雖然到東漢把它入經類，可是在西漢，仍以傳記視之。《論語》共有三本，一為魯論（即今二十篇）。一為古論（蓋亡於晉宋之際），出孔子壁中（見《漢書．藝文志》），比魯論多一篇，分〈堯曰篇〉「子張問何如斯可以從政」以下為一篇，名「子張」，一名「從政」。一為齊論（蓋亡於梁陳之際），多「問王」「知道」二篇。漢張禹傳魯論，最後行世。故今本亦叫作「張侯論」。

孝經　也是儒家一部專講孝道的書。古人以為曾子所作。雖不敢說一定；但是曾子是孔門中最注重孝道的。所以這部書雖不見得是曾參所著，大約是出自曾門，是不成問題的。在漢朝稱之曰《傳》（見《論語》條）。

孟子　就是戰國時候儒者孟軻的門弟子們，記其師孟軻言行的一部書，《漢書．藝文志》載為十一篇。可是現在只有七篇。那佚失的四篇，大概就是趙岐所說「其義不能閎深」的外書四篇了。

爾雅　可以說是漢儒集成的一部彙書。

三、我們今日治經之態度及方法

據上所列，今日所謂經書，在古代本來是些占卦之書（《易》），文告（《尚書》），歌謠，樂章（《詩》），禮單（《儀禮》），魯國的國史（《春秋》）。後來才加入了儒家的思想史（《公羊》、《穀梁》、易《十翼》、《論語》、《孟子》、《孝經》），官制方案（《周禮》），儒家的類書（《爾雅》）。又拉了春秋時代的一部《左傳》，硬附和於《春秋》之類。這些書都是我們古史上的重要史料。

不過自從漢代以來，已成為經國處世之典則。如漢雋不疑之引經斷獄（昭帝時人），王式以三百五篇為諫書（武帝時人）。等到宋朝以後，真的更視若「聖經」。這種態度，我們應從客觀及史實上去批評它。第一、儒家影響後代的，是在政治制度，公私生活和法典上面。它之所以能夠維持二千年的原因，一則以為自戰國以後，儒家領導了知識界，而最重要的，更是我國從前的經濟生活，大體並沒有什麼變更，所以才可以作為一種維持社會、政治的一種典則。第二、各代之所謂經學者，其內容實在是各代的儒者，借經發揮自己思想的一些學說，如上引漢人之引經；宋學也是接受禪學及道家化了的佛學，及其自己之哲學，而後附合於儒學之經學。清朝的今文經學派，又何嘗不是如此？比方如漢〈史晨碑〉說：「西狩獲麟，為漢制作。」孔子春秋時人，何能知有漢代，而先為之制作？這分明是漢人拿《春秋》作他們「尊周王魯」理論的根據，來實行「大一統」的思想。宋人之「無極」、「太極」易說，原是出自道士陳摶的一套把戲。「無」的觀念，乃魏晉人以道家的觀念，又附合於當時之佛學而來的，後來成為大宗，與《易經》又有什麼關係？清代今文學家，如康有為的〈大同篇〉，分明是受了西方學說之影響，與孔子有什麼牽連？由這幾條，可以看出，他們只不過拿經學來裝飾自己的門面罷了。用這種態度去研究經學，與經的本身愈去愈遠，其不足取的原因，是為經之一字所範，而又沒有歷史的觀念。我想，我們明白這幾點，才可以談到研究經學應取的態度。

我們既知經的本身內容，及其演變的史實，若想求其真象，我們只有把經學歸納到史料的範圍以內，用史的眼光去研究它。

我們確定了態度，再說我們的方法：經書，都是古代的史料，身處數千年後的我們，來讀數千年前的古書，確是一件不容易的事。我們的祖先的生活習慣，社會風俗，政制制度，以及語言、文字、思想，沒有幾許，能和我們所處的環境是完全一樣的。更加以各書有它的真偽問題，屢經傳寫訛奪的問題。這樣如果只取一種尊經的態度和方法，是不能得其真象的。我們只有用考證的方法，存疑的精神，以及利用文字學、語言學、聲韻學，文法的比較，校刊學，並參以考古學，民族學，民俗學，社會學，以及先哲、時賢整理出來的一部份的材料，憑其客觀的態度，與其本書之內容，信其當信，疑其當疑。決不可以「經」之一字，就嚇得不敢作響。更須具備藝術家欣賞美術之眼光，始能覺其親切之意，而無物我之隔，這樣，或者可以多少給它一點復原的工作。在個人，或者能夠對古史的某些部份，得到一點較確實，較深刻的印象。現在就各書舉出簡略的幾個例子，以助瞭解：

《易》卦上下的順序：

比如〈乾〉卦和〈坤〉卦吧！是這樣畫的：

九五四三二九　六五四三二六

上九九九九初　上六六六六初

陽　陰

是由下而上的。和甲骨的卜辭的次序一樣（屈萬里先生說）。由這點，可以知道《易》是由卜辭蛻變而來的。這是與考古、民族學有關的。

比方〈繫傳〉裡，稱時、中、動、靜、天地、四時，這和《孟子》、《禮記》、〈中庸〉、〈樂記〉等篇有相同處，據此可以知道他是儒家的產物。再拿儒家可靠的史料如《論語》、《孟子》來比擬，我們可以定它為遲於《論語》，出諸《孟子》的學派。這就是比較的而可以定其思想之時代與淵源。

《書》的文體，有「王若曰」（〈康誥〉），以事紀年，如「惟周公誕保文武受命惟七年」（〈大洛〉），這是和金文的體例相同的，如〈毛公鼎〉……諸器有「王若曰」，〈臣辰盉〉……諸器有「惟王大龠于宗周年」。又如「寧王遺我大寶龜」（〈大誥〉）吳大澂據金文以「寧」為「文」字之誤（金文「文」有作□者，與「寧」近似而偽）。兩者可以互證。這是與考古、古文體例、文字學有關的。

現今所傳今文，除二十八篇外，其餘二十五篇，乃是晉梅賾偽造的。因為凡漢人所引，稱為逸《書》的，反而見到這二十五篇裡邊，這豈不是真偽露了馬腳的地方嗎？如果拿這二十五篇，當作先秦的真《書》，豈不要笑話百出了嗎？在此附帶一說我們對真偽的態度。拿偽書當作他的原書，固然是萬不可的。不過，若能夠知道其造偽的時代及作者而利用之，以說明此時代及作者之思想，則偽的材料和真的材料，同一可貴。這種態度，和這種利用材料的方法，才能算是有史學通識的人。

《詩》的體材，有賦、比、興三體。賦，是開始就說本事，如「定之方中，作於楚宮」（〈鄘風．定之方中篇〉）是也。比，以他事物相比，而後始言本事，如「伐柯如何？匪斧不克。娶妻如何？匪媒不得」（〈豳風．伐柯篇〉）。言娶妻有媒，猶伐柯必有斧也。興者，與此所說無關，「先言他物以引起所詠之詞」（朱熹《詩集傳》說）。「所見在此，所言在彼，不可以事類推，不可以義理求也（鄭樵《六經奧論》），如「關關雎鳩，在河之洲，窈窕淑女，君子好逑」（〈周南．關雎篇〉）是也。在這三體中，其文體都影響後代的詩歌。尤其是興之一體，和現在民間的歌謠，有相同之點，這就可用民俗學的方法，來瞭解古書。

《詩》全是韻語，古韻和現在不同，不明白古韻，有時讀起來是不上口的。比方「左右芼（音冒）之」與「鐘鼓樂之」（〈關雎〉），芼與樂為韻，樂讀為ㄌㄠ／，古皆宵部之字。所以讀《詩》要懂聲韻學。

禮，先說《儀禮》，比方各篇有「洗」（漢器），而〈士喪禮〉用盤（先秦器），由此也知道〈士喪禮〉這篇，比其他十六篇早。而《禮記．雜記篇》：「恤由之喪〔魯〕哀公使孺悲之孔子學〈士喪禮〉，〈士喪禮〉於是乎書」，這個說法，大概是可靠的。這是利用古器物學的地方。這篇裡除卜日以外，其他篇皆用筮。卜早筮晚，這也可以由民族學的眼光，看社會之演進。

《周禮》，前人說是周公致太平之書，這話是靠不住的。雖然好多官名，在周室、各國都有（《禮記》各篇時代不同，有大師、司徒等）不過其職掌不盡相同。這雖是有時間、空間之不同；但是與周初之金文（如〈天令尊〉）、《尚書》（如〈顧命篇〉）是不同的。可能是《春秋》以後，儒家根據舊的史料重加編纂的。這是與考古和認為可靠的書作比較工作有關的。

《禮記》各篇時代不同。如〈檀弓〉可能與《論語》同為孔門之最早史料，因為它所記孔子的話，及其門弟子的話，其內容與《論語》相似。尤其在文法用字的方面與《論語》相同，即「吾」、「我」、「爾」、「汝」分別甚顯。由這就可知其與《論語》相近，而為儒家可靠的原始材料。這是用語句、文法的方法，而得到的結論。

比如〈中庸〉、〈樂記〉，其思想近於《孟子》（如〈中庸〉之「天命之謂性」，與《孟子》性善說近。〈樂記〉之「不能反躬，天理滅矣」，與《孟子》「萬物皆備於我」相似），皆為儒家內本論的一派。這是用思想的比較，而得到的結論。又如〈文王世子篇〉所記，文王以夢贈年武王之說，若以今日視之，豈不荒誕可笑？然古人重夢（《詩經》有占夢之記。《周禮》有占夢之官），若以社會學眼光視之，則古人此事有可能，且不影響其為「聖主名君」。

《春秋經》，自來無懷疑它的。漢初（或戰國末）的儒家，就是來根據它作的傳（《公羊》、《穀梁》）。因此我們知道，這是從公元前七二二年到四八一年，可靠的一部魯國歷史。

《公羊》、《穀梁》傳，是西漢時候，公認代表儒家的兩部書，自來沒有懷疑它的。尤其文體——問答體來看，與先秦他書比較，知道這種文體是不會太早的。既然西漢董仲舒以經提倡《公羊》，《穀梁》宣帝時立於學官。則其成書，至少是在西漢初葉。

《左傳》，由其本文，即可知它不是解釋《春秋經》的一部書。根本不是一種「編年體」。由其本文與《國語》一書相近，而在司馬遷〈報任少卿書〉上說「左丘失明，厥有《國語》」。所以這部書，與《國語》有密切的關係。可以研究他與《國語》，到底是一部書，還是兩書？是原名《國語》，而後名《左傳》？這應當用其內容、文體，及語言、文法比較而定。

《論語》這部書，除了最後五篇中的若干章間或可疑外，它絕大的部份都是可信的。可以拿他來作儒家思想史的權衡。尤其是孔子個人的思想。合於它的，是真，不合的，是偽。比如《禮記．禮運．大同》一節，就不合乎《論語》上孔子的思想（《論語》：「文王既沒，文不在茲乎？」「吾不復夢見周公」，都是以文王、周公為其最向慕之人，而大同節謂文王、周公為小康之選。由此知道大同節之說，是不合乎孔子思想的）。

《論語》多講倫理道德。這道德是基於人來講的，毫無宗教的色彩。這就是孔子「仁」的哲學。影響我們國族的文化最大的。我們知道《論語》不用「此」字，都用「斯」字，這就是用語言學考證的結果。

《孟子》這也是從無疑問的一部書。比如孔子說「仁」，只是在日常生活倫理道德之一種最高美德。而《孟子》說仁是人心自有——「仁，人心也。」由這也可以看出孟子本孔子之學說，進一步究其本源。而他的本源，是內本論者。由此而演進為「民貴君輕」的民本政治論。又如說「聖而不可知之之謂神」。這也就有了神祕主義的傾向。

《孝經》，由《論語》所言之孝道，如「孝于惟孝，友于兄弟，施於有政。是以為政，奚其為為政？」不過孔子是說推而致于有政。《孝經》則由這個觀念，把上之事君，下之處世律己，都包括到孝之一字裡邊來了。

曾子是孔門最注意孝道的一個，如《禮記．檀弓》「伋，吾之親之喪也，水漿不入於口者七日」，《孟子》「曾皙食羊棗，而曾參不忍食羊棗」諸事。更以《孝經》開頭言「仲尼居，曾子侍」，所以可知其書出諸曾門。這種「以經證經」的方法，是考據應注意的。

《爾雅》內中以〈釋詁〉、〈釋言〉、〈釋訓〉、〈釋親〉最要。以三者與語言學（即訓詁學）關係綦重。釋親與民族、社會有關。不過以之來解先秦古籍，有可從的，有不可從的。如《書經》之「哉生魄」（〈康誥〉），〈釋詁〉釋「哉」為「始」，是矣。如〈釋言〉釋「格」為「來」，在金文上常有「王格周廟（或某廟、某宮）」之文，「來」固可訓，訓「至」則更妥。〈釋訓〉之「夢夢，亂也」。然《詩》「視天夢夢」（〈小雅．正月〉），若作亂解則難通。若作今語之迷迷糊糊解（屈萬里先生說。《說文》：「夢，不明也。」）即甚恰切矣。〈釋親〉謂大父、大母為祖母。若考之金文，皆父、母之稱，和皇父、皇母是一樣的，非謂祖父、祖母也。

我們前代的大儒，比方如宋朝的歐陽修、王安石、朱熹、吳棫，清朝的顧炎武、閻若璩、惠棟、阮元、吳大澂、孫詒讓，……諸大師；近代的王國維、胡適之、傅斯年……諸先生，都具有這種精神，和能利用科學方法。這是我們應當效法的。

這樣把古書整理出來，不但在學術上有其貢獻，就是在民族精神上，才真的能夠較人們以及後代，瞭解先民創業之維艱，與其偉大的思想，及自己思想的一部份來源，和應當選擇之道。也才能夠真的表彰經學於千秋萬世。

至於修身立行，凡係讀一部書，都可以在正反兩面得到它的好處，那又不只是限於經學了。

四、應讀的本子

最後為初讀經的，每經就現有的，較簡單、淺近、而比較好的成部的舊注或新釋的書，舉出一部，以作讀經入門之需（近人甚多好的零星的文章，散見在各種刊物上。收購不易，茲不舉）。若作專門的研究，不在此例。

《易》（晉王弼注，唐孔穎達疏）；

《尚書釋義》（屈萬里先生箸）；

《詩經釋義》（同上）；

《周禮注疏》（漢鄭玄注，唐賈公彥疏。初學不必讀疏。但注無單行本，後儒所箸太繁，又不便初讀，無已，只好列之。《公》、《穀》、《左》、《孝經》、《爾雅》同義）；

《儀禮鄭注句讀》（清張爾岐箸）；

《禮記釋義》（拙箸）；

《春秋公羊傳注疏》（漢何休解詁，唐徐彥疏）；

《春秋穀梁傳注疏》（晉范寧集解，唐楊士勛疏）；

《春秋左傳正義》（晉杜預注，唐孔穎達疏）；

《論語集注》（宋朱熹箸）；

《孟子集註》（同上）；

《孝經正義》（唐玄宗注，宋邢昺疏）；

《爾雅注疏》（晉郭璞注，宋邢昺疏）。

《中國一周》第三三六期（一九五六年十月）

說兕觥

王靜安以似水器之匜，蓋作牛首者，以為即文獻上酒器之觥（《觀堂集林》三、十二，按此類器皆無本名），數十年來，學者宗之。容希白《商周彝器通攷》（上、酒器、觥。頁四二三—四二九），曾舉【[illegible]叔匜】、【鳳蓋匜】，並以【守宮作父辛觥】之有勺，而疑王氏之說，然未舉另器以實之。按彝器中，無觥銘之器。然文獻上，多與兕連言（此點段玉裁亦注意及之。見《說文解字注》）。《詩．周南．卷耳》：「我姑酌彼兕觥。」〈豳風．七月〉：「稱彼兕觥。」〈小雅．桑扈〉、〈周頌．絲衣〉：「兕觥其觩。」則觥者，可為兕形，或為兕製。兕（《說文》小篆作𤉡，古文作𠒫），《山海經．南山經》注：「似水牛，青色，一角。」王氏所舉皆兩角之犧，且有似傳統所謂龍形者（如【龍鴞紋觥】、【夔鳥直紋觥】）。以犧、龍為兕，即形言之，已屬不合。《詩》言：「兕觥其觩」，鄭《箋》謂：「觩然陳設而已。」此解難通。按《說文》：「觓，角皃。」今《詩》作觩。觩，又可借為「捄」。是「觩」「觓」「捄」一字。《詩．大雅．大東》：「有捄棘匕。」又：「有捄天畢。」〈周頌．良耜〉：「有捄其角。」〈魯頌．泮水〉：「角弓其捄。」匕也，天畢也，角也，弓也，其形皆曲，故言捄（觩同）以狀之。則兕觥其觩者，是觩亦狀兕觥之觩然而曲也。兕之體不能曲，其角乃曲，則由其狀之之辭，可知兕觥非雕兕形，而為兕角所製。兕角觩然，觥亦如之也。《說文》：「觵，兕牛角，可以飲者也。」又：「其狀觵觵，故謂之觵。」又：「觥，俗觵從光。」觵觵者，《後漢書．郭憲傳》：「關中觵觵郭子橫。」注：「剛直之貌。」《三禮圖》云：「以兕角為之。」《西清續鑑》以角形銅器名觥。中央研究院在安陽發掘，亦得與《禮圖》、《續鑑》同形之銅器。蓋觥本以兕角為之，故曰兕觥。以銅仿製，其形不改，「其狀觵觵」，故仍以兕觥名之也。其用與爵同，飲器也。王氏所舉，或為早期之匜。即以守宮觥之附勺，定為酒器；但亦只可盛酒，勺以挹之，不可以飲者也。〈卷耳〉毛《傳》：「觥，角爵也。」（是否專為罰酒之爵，此不詳論。）《說文》亦以為「可以飲人者」。再案之《左傳》昭公元年傳：「鄭人、燕人、趙孟、穆叔、子皮舉兕爵。」則兕觥亦可稱兕爵。〈七月〉：「稱彼兕觥。」稱訓為「舉」。（見《儀禮．士相見禮》：「聞吾子稱贄」等鄭《注》。）《左傳》（上引）亦稱「舉兕爵」，為飲器，故言舉也。（《儀禮》、《禮記》爵、角、觶等言舉。）至〈卷耳〉：「我姑酌彼兕觥。」固與上章「我姑酌彼金罍」（罍為盛酒之器）對言，酌可訓取（見《禮記．坊記》鄭《注》），但《說文》云：「酌，盛酒行觴。」段玉裁《注》：「盛酒於觶中以飲人曰行觴。〈投壺〉云：『命酌曰：請行觴。』觶實曰觴。」（按盛酒飲人皆可曰行觴，不必專指觶言。）觶亦飲器也。「酌彼金罍」，可解為取酒於彼金罍中。「酌彼兕觥」，則應訓盛酒飲人，以彼兕觥也。則觥為飲器，與爵、觶等用同。其非容器，彰彰甚明。王氏之說，本於《續攷古圖》，惟更詳其論證耳。阮元以如爵高大蓋作犧形之器為觥（見《積古齋鐘鼎彝器款識》），是祇悟其用，而忽其形制矣。今中央研究院、故宮博物院（《續鑑》著錄者）所藏角形之器，即兕觥也。驗之實物，徵之文獻，可無疑矣，《西清》所定是也。

釋牢宰

甲骨文有牢字，其義為祭用之牲：

甲午卜，貞：且甲曰其牢。（通六十四。例多不枚舉。）

金文亦有牢字，【貉子卣】：

王牢于◯。

又有宰字，其義與牢同。案：宰，王襄誤釋為牢。從牛則為牛牲，從羊則為羊牲，當無他義。然古籍隸定之後，牢行，而宰廢矣。

文獻材料中，亦嘗言牢，《國語．周語》上：

襄王使太宰文公及內史興，賜晉文公命，上卿逆於境，晉侯郊勞，館諸宗廟，饋九牢。

《左傳》哀七年傳：

吳來徵百牢，子服景伯對曰：「先王未之有也」。

此單言牢者也。

又有言太牢、小宰、少宰者（宰，文獻亦寫作牢。胡厚宣〈釋牢〉謂卜辭間有作「太宰」者，僅《藏》一七六．三及《佚》三〇八二例，乃「字之誤也」。（見《史語所集刊》第八本第二分。按胡說是也）：

乙亥貞：又◯歲于且乙，太牢一牛？（甲八〇六。）

庚寅卜，彭貞：其小宰？（甲二六七八。例多不枚舉。）

文獻亦言大牢、少牢，《國語．楚語》下：

天子舉以太牢……諸侯舉以特牛，祀以太牢；卿舉以少牢（應作牢，下放此），祀以特牛；大夫舉以特牲，祀以少牢。

《禮記．郊特牲》：

郊特牲而社稷大牢。

《左傳》桓六年傳：

以太子之禮舉之，接以太牢。

《禮記．玉藻》：

日少牢，朔月太牢。（例多不枚舉。）

皆其例也。

漢以來儒者，何休、韋昭、鄭玄、杜預等，皆以牛羊豕為牢，或太牢；以羊豕為少牢。此解是否合乎殷商之所謂牢、宰，或太牢、少牢者之實？按之甲骨、文獻，或不然也。甲骨文中，固無一牛、一羊、一豕之文，但有羊、豕並舉之例，《粹》四四：

甲辰卜，丙尞于河，一羊，一豕，卯一牛。

《粹》四七：

丙子卜，殻貞：乎言彭河，尞三豕，三羊，卯五牛。

又《乙》四六〇三：

己丑卜，御于庚，卅少牢。己丑余至，豝、羊。

若以何休等之解少牢為一羊一豕，則一羊、一豕或三豕、三羊、豝、羊，應言少牢、三少牢，不應言一羊、一豕、三豕、三羊、豝、羊矣。少牢如此，太牢可知，且再徵之周初之文獻中，若《書．召誥》：

越翼日戊午，乃社于新邑，牛一，羊一，豕一。

若牛、羊、豕為太牢，則應言太牢，不應言牛一、羊一、豕一也。是殷及周初所言之牢、太牢或少牢，不似何等之說也明矣。

近更有以二牛為一牢者，其說謂本之契文，以韋昭《國語・晉語・注》「牲一為特，二為牢」為其依據。然舉契文之例，亦知其說之不能成立，《後上》二三：

辛卯貞：其求禾于河，尞二宰，沈牛二。

《摭續》二：

辛未貞：求禾于河，尞三宰，沈三牛。（例多不枚舉。）

則二牛並不等於一牢，不必俱辯。韋昭「二為牢」之說，二恐為三之誤，以《周語》「襄王使太宰文公及內史興賜晉文公命……饋九牢。」《注》云：「牛、羊、豕為一牢。」其說與漢儒皆同，故知二為三之誤也。

《大戴禮・天圓》：

諸侯之祭，牛曰太牢；大夫之祭，羊曰少牢。

《禮記・少儀》：

大牢，則以牛左肩臂臑折九个。

此說若照以上所解，則或可近乎殷周之實之一部分。以契文曰牢曰宰，固為牛、羊之牲。然又曰大牢，曰小（少）宰，其名不同，其實應異。是否對言，則牢又曰太，宰又曰小（少），而有繁簡之稱？或另有不同之故？文獻無徵，不敢定矣。

然漢儒者之釋太牢為牛、羊、豕，少牢為羊、豕，亦非創註。《儀禮・聘禮》「餁一牢」下云：「牛羊豕……」；「腥二牢」下云：「牛以西羊豕，豕南牛，以東羊豕」；「饌二牢」下云：「牛以西羊豕，豕西牛羊豕」。是以牛羊豕為一牢也。〈少牢饋食禮〉：「司馬封羊，司士擊豕」，下文又有「羊」「豕」「羊右胖……」「豕右胖……」；而下文云「佐食上利少牢心舌」，「上佐食舉尸牢肺正脊以授尸」等，其牢皆指羊豕，是以羊、豕為一牢（窂）也。則牛羊豕為太牢，羊豕為少牢（窂），其制先秦亦有。

抑又有進者，契文中牢與牛迥然不同，《庫》一八九八：

> 其牢又一牛。（例多不枚舉。）

既稱曰牢，又稱曰牛，則其別顯然。其別安在？按《說文》：「牢：閑，養牛馬圈也」；《詩》：「執豕於牢」。以字形論之，許說是也。上引甲、金、文獻之文，皆指牲言。養牲之所曰牢，養於其中之牲亦可曰牢。《詩·閟宮》：「秋而載嘗，夏而輻衡」。則必有特別之處境以飼養之，其繫養之所即牢也。《周禮·天官·宰夫》：

> 凡朝覲會同賓客，以牢禮之法，掌其牢禮。

《禮記·祭義》：

> 古者天子諸侯，必有養獸之官……君召牛，納而祀之，擇其毛而卜之，吉，然後養之。

此牢禮之法，即後世所謂之滌。《公羊》宣公三年傳：

> 帝牲在于滌三月。

《禮記·郊特牲》：

> 帝牛必在滌三月。

滌，何休曰：「宮名，養帝牲三牢之處也」。鄭玄曰：「牢中所搜除處也」。是滌即牢也。牛何必養之於牢？蓋恐其傷也。《春秋》宣公三年經：

> 郊牛之口傷，改卜牛。

又〈成七年〉經：

鼷鼠食郊牛角，改卜牛。

又見〈定公十五年〉，《左》、《公》哀元年，成七年，《穀》哀元年經。是牛傷則弗用，故必在牢（滌）三月，養而後以祭。用在牢之牛，故曰牢也。

言牛者，即不必特別在牢（滌）飼養，即取而用之。〈郊特牲〉云：

稷牛惟具。

〈曲禮〉云：

大夫以索牛。

此則牢、牛、宰、羊之別也。

《文史哲學報》第十五期（一九六六年八月），頁一八一—一八五

《儀禮》十七篇之淵源及傳授

今之《儀禮》十七篇，自大小戴、慶氏傳之（《漢書・藝文志》），劉向《別錄》（《別錄》為劉向作，見《隋書・經籍志》及〈牛弘傳〉），著之（見《儀禮》賈《疏》引鄭《目錄》），又鄭玄注之。賈公彥《疏》於每篇題下引鄭玄《目錄》，言本篇在大、小戴本、《別錄》本，其篇次之異。茲分別加以論述：

《史記・儒林傳》云：

諸學者多言禮，而魯高堂生最本。禮固自孔子時，而其經不具。及至秦焚書，書散亡益多，於今獨有〈士禮〉，高堂生能言之。而魯徐生善為容。孝文帝時，徐生以容為禮官大夫，傳子至孫延、徐襄，襄其天資善為容，不能通禮經。延頗能，未善也。襄以容為漢禮官大夫。至廣陵內史。延及徐氏弟子公戶滿意、桓生、單次，皆嘗為漢禮官大夫。而瑕丘蕭奮，以禮為淮陽太守。是後能言禮為容者，由徐氏焉。

荀悅《漢紀》引劉向曰：

禮始於魯高堂生，傳〈士禮〉十八篇，多不備。

《漢書・藝文志》云：

漢興，魯高堂生傳〈士禮〉十七篇，迄孝宣世，后倉最明。戴德、戴聖、慶普，皆其弟子。三家立於學官。

又〈儒林傳〉云：

漢興，魯高堂生傳〈士禮〉十七篇。而魯徐生善為頌。孝文時，徐生以頌為禮官大夫，傳子，至孫延、襄，襄其資性善為頌，不能通經，延頗能，未善也。襄，亦以頌為大夫，至廣陵內史。延及徐氏弟子公戶滿意、栢生、單次皆為禮官大夫，而瑕丘蕭奮，以禮至淮陽太守。諸言禮為頌者，由徐氏。

〈儒林傳〉又云：

> 孟卿，東漢人也。事蕭奮，以授后倉、魯閭丘卿。倉說禮數萬言，號曰「后氏曲臺記」，授沛聞人通漢子方，梁戴德延君，戴聖次君，沛慶普孝公，孝公為東平太傅。德號大戴，為信都太傅。聖號小戴，以博士論石渠，至九江太守。由是禮有大戴、小戴、慶氏之學。

《禮記》大題下孔《疏》引鄭玄〈六藝論〉云：

> 案《漢書》〈藝文志〉、〈儒林傳〉云：傳禮者十三家。唯高堂生及五傳弟子戴德、戴聖名在也。又按〈儒林傳〉云：漢興，高堂生傳〈禮〉十七篇，而魯徐生善為容，孝文時，徐生以容為禮官大夫。瑕丘蕭奮，以禮至淮陽太守。孟卿東海人，事蕭奮，以授戴德、戴聖。

此述禮之傳授情形，《史記》所言者簡，《漢書》所言者詳。至其篇數，《史記》未言，《漢紀》與《漢書》始及之，然有十七與十八之異。以傳授源流考之，《史記》、《漢書》所言者「士禮」，即鄭玄引《漢書》之「禮」也。然則漢時除高堂生所傳者外，尚有古文之本。

《漢書．藝文志》云：

> 禮古經五十六卷，經七十篇（劉敞：七十應作十七）。

又云：

> 禮古經者，出於魯淹中及孔氏，學（劉敞：當作與）七十篇（劉敞：當作十七）文相似，多三十九篇。

又云：

魯共王壞孔子宅，欲以廣其宮，而得古文《尚書》及《禮記》（《文選》劉歆〈移太常讓博士書〉李善〈注〉，無「記」字）。

劉歆〈移太常讓博士書〉云：

及魯恭王壞孔子宅，欲以為宮，而得古文於壞壁之中，逸《禮》有三十九。

許慎《說文·序》云：

魯恭王壞孔子宅，而得《禮記》（《禮記》說見下）。

《禮記·奔喪篇》題下疏云：

鄭（玄）：「逸禮者，《漢書·藝文志》云：『漢興，始於魯淹中得古《禮》五十七篇（《經典釋文·六藝論》作五十六）其十七篇，與今《儀禮》正同。其餘四十篇，藏在秘府，謂之逸《禮》。』」

又〈六藝論〉云：

漢興高堂生，得《禮》十七篇。（《釋文》云：「即今之《儀禮》。」）後孔氏壁中，得古文《禮》凡五十七篇。

《經典釋文·叙錄》，引鄭玄〈六藝論〉云：

後得孔氏壁中，河間獻王古文《禮》五十六篇、《記》百三十一篇、《周禮》六篇，其十七篇與高堂生所傳同，而字多異。

《經義考》卷百三十引阮孝緒《七錄》云：

古經出魯淹中，……有六十六篇，無敢傳者，後博士侍其生，得十七篇，鄭注今之《儀禮》是也。餘篇皆亡。

由上引各書，知淹中孔壁（〈藝文志〉所說之淹中孔壁，以他書證之，蓋謂淹中之孔壁，非謂淹中與孔壁也）、河間獻王皆得古文《禮》。其中十七篇與今《儀禮》十七篇同，亦即同於高堂生所傳者也。其傳授古今之本既定，惟有十七、八篇之異說。按〈喪服〉一篇，賈公彥〈喪服〉大題下《疏》云：「按〈喪服〉上、下十有一章」，是〈喪服〉若以上下為兩篇數之，則可謂之十八篇也。又如〈有司徹〉本為〈少牢饋食〉之下篇（武威簡本及今本，〈有司徹〉皆無內題），〈既夕禮〉本為〈士喪禮〉下篇，可以一篇計之，亦可以兩篇計之；故文本亦有五十六（〈藝〉）、五十七、四十（〈六〉）、六十（〈論〉）、六十六（《七》）之別；蓋亦緣此爾。惟王仲任以《儀禮》「秦火之餘」者，只十六篇，以其說考之，非只篇數計法之不同。《論衡．謝短篇》云：

> 宣帝時，河內女子壞老屋，得逸《禮》一篇。六十篇中，是何篇者？高祖詔叔孫通制作〈儀品〉，十六篇何在？而復定《儀禮》，見在十六篇，秦火之餘也，更秦之世，篇凡有幾？

《儀禮》西漢時，皆以為十七篇，此言十六，為秦火之餘。其十七之數實至宣帝時所增益者。《論衡．正說篇》云：

> 至孝宣皇帝之時，河內女子發老屋，得逸《易》、《禮》、《尚書》各一篇，宣帝下示博士，然後《易》、《禮》、《書》各益一篇。

則所益一篇，在今十七篇中，是何篇者？則《易》為〈雜卦〉，《書》為〈泰誓〉。按屈萬里先生〈易損其一考〉（見《山東省立圖書館季刊》，廿五年出版）與《漢石經周易殘字集證》（中央研究院史語所專刊之十六），謂河內女子所致者，為〈雜卦〉一篇、《尚書》所益之一篇，當為〈泰誓〉。孔傳序《正義》引房宏說：「宣帝泰和（阮氏《校勘記》，以「泰和」為「本始」之誤）元年，河內女子，有壞老子屋，得古文〈泰誓〉三篇。」《經典釋文．序錄》云：「漢宣帝本始中，河內女子得〈泰誓〉一篇獻之。」惟《書》孔傳序

《正義》引《別錄》，《文選》劉歆〈移書太常讓博士〉，則皆謂得之武帝（陳夢家《尚書通論》，以「泰和」為「太始」之誤）之時。屈先生並謂「乃漢人偽作，記諸河內以售其欺者，則此河內本之〈泰誓〉，殆亦贋鼎。」）按今《儀禮》鄭《注》，每逢今古文之異者，必注明其所從，是知十六篇，既有今本，復有古本，即《漢書》等所云古文五十六卷（篇），其十七篇（十七之數，見下說）與高堂生今文者同也。而〈喪服〉一篇不注今古之異，則〈喪服〉只有一本也明矣。此甚可注意之點也。若以河內同出之《易》、《書》之例推之，彼既為漢人之作，則此篇正宜其無古文也。且石渠論禮，群儒各持己說，《通典》九十九引「石渠論議」云：

經云：「大夫之子，為姑姐妹女子子無主後者，為大夫命婦者，唯子不報」。何？（簡本，今本俱在〈齊不杖麻屨章〉）

於是戴聖議之，而後宣帝制曰：「為父母周，是也。」此經也，然竟作為討論之資，而終於裁決于天子。又同書卷八十九引蕭太傅與韋玄成於「父卒母嫁」（簡本，今本俱在〈齊衰杖期章〉之辯），其決意與經意異，而宣帝竟從之。抑又有進者，武威所出簡本〈服傳〉（說見下，有甲、乙二本），收經記之文，大事刪削，以成一家之言。則經記在其心目中，只為立論之依傍，非如《公》、《穀》之於《春秋》，雖其旨不相謀，亦必屈意以附經。其名雖曰「服傳」，實自立為說，故可為辯論之資，亦可任意有所去取，此漢人於他經所未有之態度者也。蓋〈喪服〉一篇，既為後出，或如〈雜卦〉之於《易》，〈泰誓〉之於《書》，竟為漢人所為者，其列於經典之林，亦如《別錄》（《書》孔傳序《正義》引）所云：「與博士使讀說之，數月皆記傳以教人。」與《七略》所云：「與博士使讀說之，因傳以教。」（《文選》劉歆〈移書太常讓博士〉李善注）之情形相同。使「博士讀說」，而後乃列入經典之林，故有此現象也。如果以上之推論不致太錯，則仲任所謂後益之一篇，甚可能即〈喪服〉一篇矣，至於班孟堅、鄭康成所謂十七篇者，蓋皆以〈喪服〉自宣帝以來已定為《儀禮》經文，故統言之也。

《儀禮》之名，始見《論衡‧謝短篇》，在西漢只稱「禮」（如《史記》、《別錄》、〈讓太常博士〉），或稱「士禮」（如《史記》、《別錄》），或稱「經」（《通典》卷九十九引「石渠論議」，卷七十三引記作經。）至東漢時，雖有《儀禮》之名，但如《漢書》〈藝文志〉、〈儒林傳〉，仍稱之曰「士禮」、曰「經」（《漢書‧藝文志》、《白虎通》），曰「禮」（《六藝論》）。蓋自康成注後，而其名始定為「儀禮」。此本書定名之略史也。

其次談到有關記傳之問題，及記傳附經之時代。《漢書‧藝文志》云：

> 魯共王壞孔子宅，欲以廣其宮，而得古文《尚書》及《禮記》（李善注〈文選〉、劉歆〈移書太常讓博士〉無「記」字。）

同書〈河間獻王傳〉云：

> 河間獻王所得書，皆古文先秦舊書，《周官》、《尚書》、《禮》、《禮記》（《經典釋文》引《別錄》有二百四篇古文之記，桓譚《新論》有「古佚《禮記》有四十六卷。」蓋即此類。）

《說文‧序》云：

> 魯恭王壞孔子宅，而得《禮記》……。其稱《易》孟氏、《書》孔氏、《詩》毛氏、《禮》、《周官》、《春秋左氏》、《論語》、《孝經》皆古文也。

石渠論議（《通典》卷七十三引）「宗子孤為殤」，此〈喪服篇〉記文也，而曰「經云」。《白虎通》卷一篇引〈士冠禮〉：「天子之元子，士也。」此本記文，而曰「士冠經」，卷一號篇，引〈士冠禮〉：「周弁，殷曰吁，夏收，三王共皮弁素積。」此亦記文，而亦曰

「士冠經」；《後漢書．蔡邕傳》李賢注引《洛陽記》；《太平御覽》卷五八九引晉戴祚（延之）《西征記》，指《熹平石經》所刻之《儀禮》為「禮記」。又《爾雅．釋言》郭璞《注》引〈有司徹〉「雁用席」、〈釋詁〉注引士相見之禮「妥而後言」皆經文也，而謂之「禮記」。此引「記」作「經」者也，亦有引「經」作「記」者，《詩．采蘩》鄭《箋》引〈少牢篇〉經文「主婦髲鬄」，此經文也，而曰「禮記」。按經有今古之本，記亦為「先秦舊書」，其宣帝石渠論禮之時，必已合為一篇（石渠引「記」曰「經」可證）。武威漢簡甲乙本〈服傳〉，皆於記文前，只作「□」之記號；丙本〈喪服〉，記文前，只作「○」之記號，皆未有如今本特作「記」字以別之；〈特牲篇〉未記經記字數，總計為一；〈燕禮〉與篇末，亦復如此，惟又另記記之字數，此亦經、記在西漢時已混合情形，故引經可曰記，記可作經也。此可證皮鹿門、王靜安諸家之說。

至〈喪服〉「傳」之問題，《武威漢簡》本敘論（三十二葉至三十三葉）曾統計之：「丙本（按只有經、記）的經文為一千一百七十三字，而甲乙本（按並經、記、傳），則刪削的經文，共為五百餘字，約為全經一半而弱。其中今本本無傳文的經文部分，佔十分之九以上。」又申論之曰：「他不是根據具有經、記、傳的今本的形式內容加以刪定的，而是根據僅有經、記如丙本的行式內容而附加傳文的。」此論的是，傳之附於經、記，敖繼公謂始自康成；以康成之注《易》之例推之，蓋亦是也。傳文中常又有「傳曰」，武威作者，謂蓋於「禮服傳」（見《白虎通》引）。然《白虎通》所引「禮服傳」皆與今傳同，並不在傳中之「傳曰」，則《白虎通》所謂之「禮服傳」，即簡本之「服傳」，亦即今本之傳，非傳內之傳也。則傳內之傳，蓋作傳者，引早於其作傳時之傳，或夏后始昌（武帝時通五經，其族子勝明帝時從之學。而言「禮服」，蕭望之明帝時又從勝問「禮服」（俱見《漢書》〈夏后始昌〉、〈蕭望之傳〉），諸禮學大師，可能有言禮服之傳，後世作傳者，又從而引之。武威漢簡既有傳（甲、乙），《白虎通》又引「禮服傳」，則傳之作也，其當該篇始出，宣帝未定其為經之際乎？而為「代表一家之言」者也（《武威漢簡敘論》）。

至於石渠之論與經傳同異，與簡本與今本之異同，詳《武威漢簡敘論》，與劉文獻《武威漢簡儀禮校補》。

附《儀禮》傳授表：

《史記・儒林傳》：

高堂生……徐　生（文帝時）（以容為禮官大夫）
- （子）—（孫）延（不通經、善為容）
- 公孫滿戶　襄（通經未善）……蕭奮
- 桓生
- 單次

《漢書・藝文志》：

高堂生……后　倉（昭帝時）
- 戴　德（宣帝時）
- 戴　聖
- 慶　善

—（三家並立於學官）

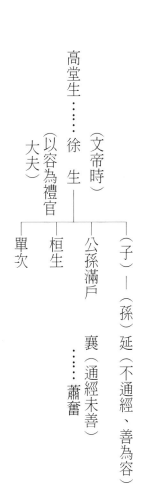

《漢書・儒林傳》：

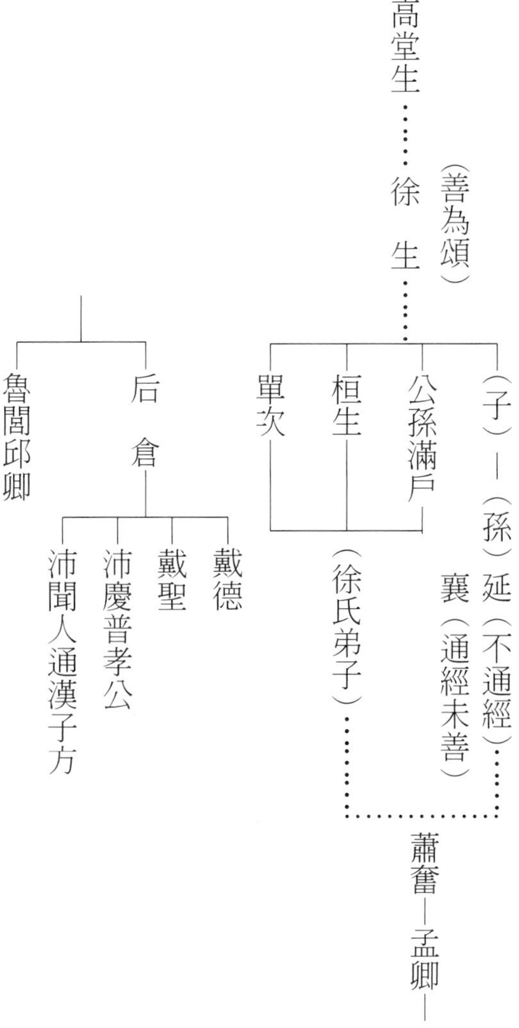

《漢舊儀》《漢書・儒林傳》蘇林曰：「徐氏後有張氏，不知經，但能盤辟為禮容。」

鄭玄引《漢書・藝文志》：

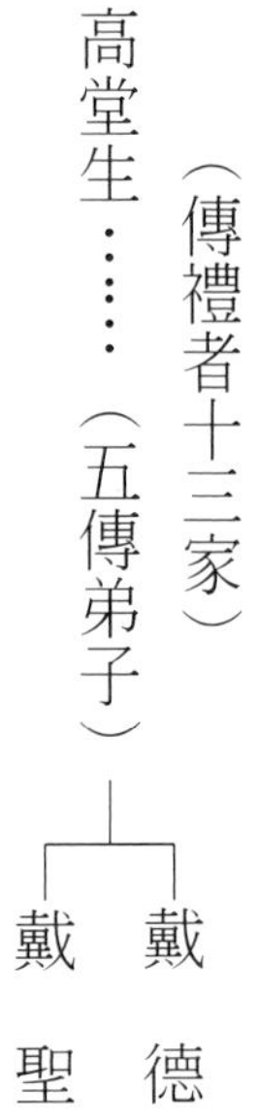

同上引《漢書・儒林傳》：

高堂生……徐生……蕭奮……孟卿——戴德、戴聖

《漢書・儒林傳》：

夏后始昌（武帝）——后倉（宣帝時）、夏后勝——蕭望之

漢代本書之篇次：

（1）武威簡本

第三　士相見之禮

第八　服傳（甲乙本）具甲本之題篇次，則乙本亦同，丙本只經、記不同，甲、乙本，則雖不注明其篇次，似應亦在第八。

喪服

第十　特牲

第十一　少牢

第十二　有司
第十三　燕禮
第十四　泰射

（2）大戴本據賈公彥疏每篇篇題下引鄭目錄。

第一　士冠
第二　昏禮
第三　相見
第四　士喪
第五　既夕
第六　士虞
第七　特牲
第八　少牢
第九　有司徹
第十　鄉飲酒
第十一　鄉射
第十二　燕禮
第十三　大射
第十四　聘禮
第十五　公食
第十六　覲禮
第十七　喪禮

（3）小戴本

第一　士冠

第二　昏禮

第三　相見

第四　鄉飲

第五　鄉射

第六　燕禮

第七　大射

第八　士虞　〈士虞〉賈疏引鄭目錄「第十五」。《武威漢簡・敍論》，以為應作「第十三」。

第九　喪服

第十　特牲

第十一　少牢

第十二　有司徹

第十三　喪禮　〈士喪〉賈疏引鄭目錄「第八」〈士冠〉疏引作「第十三」

第十四　既夕

第十五　聘禮

第十六　公食

第十七　覲禮

（4）別錄本
第一　士冠
第二　士昏
第三　士相見
第四　鄉飲酒
第五　鄉射
第六　燕禮
第七　大射
第八　聘禮
第九　公食大夫
第十　覲禮
第十一　喪服
第十二　士喪
第十三　士喪下
第十四　士虞
第十五　特牲饋食
第十六　少牢饋食
第十七　少牢下

（5）鄭玄、賈公彥注疏本今本
第一　士冠禮

第二　士昏禮
第三　士相見禮
第四　鄉飲酒禮
第五　鄉射禮
第六　燕禮
第七　大射儀
第八　聘禮
第九　公食大夫禮
第十　覲禮
第十一　喪服
第十二　士喪禮
第十三　既夕
第十四　士虞禮
第十五　特牲饋食禮
第十六　少牢饋食禮
第十七　有司徹

《東海學報》第八卷第一期（一九六七年一月），頁一二七—一三四

《禮記》概說

一、編纂時代及其傳授源流

《禮記》這部書在十三經裡邊，可以說是最「雜亂」的一部書了。其中包括著上至春秋，下至西漢中葉的著述。一篇裡邊，有的也是毫無系統，分明是「東拉西扯」拼湊起來的。不過這部書中的各篇，其著成的時代並不太晚。因為西漢元帝的時候，劉向所著的《別錄》裡已經錄著了。現在這四十六篇的本子是經過戴聖編纂傳授的。茲把《禮記》的流傳，受授有關的史料列舉如下。《漢書・藝文志》，禮三：

〈記〉百三十一篇。七十子後學所記也。

〈明堂陰陽〉三十三篇。古明堂之遺事。

〈王史氏〉二十一篇。七十子後學者。師古曰：「劉向《別錄》云六國時人也。」

〈曲臺后倉〉九篇。

〈中庸說〉二篇。

〈明堂陰陽說〉五篇。

〈周官經〉六篇。王莽時劉歆置博士。

〈周官傳〉四篇。

〈軍禮司馬法〉百五十五篇。

〈古封禪羣祀〉二十二篇。

〈封禪議對〉十九篇。武帝時也。

〈漢封禪羣記〉二十六篇。

〈奏議〉三十八篇。石渠。

〈河間獻王傳〉：

河間獻王所得書皆古文先秦舊書：《周官》、《尚書》、《禮》、《禮記》（《經典釋文》引《別錄》古文二百四篇記）《孟子》、《老子》之屬。

《經典釋文》引鄭玄《六藝論》：

後得孔氏壁中河間獻王古文《禮》五十六篇，《記》百三十一篇。

此有關《禮記》和小戴《記》之最早著錄的史料。再按《漢書．儒林傳》記載着戴聖的禮學傳授：

傳禮者十三家，惟高堂生五傳弟子戴德、戴聖名在也。五傳弟子者，高堂生、蕭奮、孟卿、后倉（宣高時人）及戴德、戴聖為五。此所傳皆《儀禮》也。

孟卿東海人也，事蕭奮（〈儒林傳〉：高堂生弟子。）以授后倉、魯閭邱卿。倉說禮數萬言，號曰《后氏曲臺記》，授沛聞人通漢子方（如淳曰：「聞人姓也，名通漢字子方。」）梁戴德延君、戴聖次君，德號大戴，為信都太傅；聖號小戴，以博士論石渠，至九江太守。由是《禮》有大戴、小戴、慶氏之學。……小戴授梁人橋仁季卿、楊榮子孫（師古曰：「子孫榮之字也。」）……小戴有橋、楊氏之學。

根據這兩項記載，一項是說戴聖傳的是《儀禮》，這是無可致疑的。一說受禮后倉，並且好像是說傳的是《后氏曲臺記》。並未提到他傳《記》百三十一篇及河間獻王傳所獻的《禮記》。那麼今之四十九篇《禮記》是否小戴傳的呢？光從這兩項觀察，似乎是很難說的，不過我們可以再找找其他證據，是否小戴有四十九篇之傳。後《漢書．橋玄傳》：

七世祖仁……著《禮記章句》四十九篇，號曰橋君學。

根據上邊引的儒林傳，說橋仁傳小戴之學，則這四十九篇之傳自戴聖似乎是無可致疑的。鄭玄《六藝論》（孔穎達《疏》引）云：

> 戴聖傳《禮》四十九篇，則此《禮記》是也。

鄭玄此說更指此四十九篇，乃戴聖之傳，似乎無可致疑之處。並已有「小戴學」名稱。《後漢書・黨錮列傳・劉祐》唐李賢《注》：「學……小戴《禮》。」可知小戴之學後漢已為顯學，鄭康成是這門學問的大家，是不必說了。就是他的老師馬融、同學盧植，也是「專門名家」。《後漢書・盧植傳》說：

> 熹平四年……始立大學石經，以正五經文字。植乃上書曰：「臣少從通儒故南郡太守馬融受古學，頗知今之《禮記》，特多回冗（註：栖紆曲也。）臣前以《周禮》諸經發起粃謬（註：「粟不成，諭義之乖僻也。」）「敢率愚淺，為之解詁，而家乏無力供繕上。願得將能書生二人，共詣東觀，就官財糧，專心研精，合《尚書章句》，考《禮記》失得。」

由這裡我們知道，小戴傳《儀禮》或亦傳《曲臺記》。但是由間接的證據我們也有理由相信四十九篇是戴聖的本子，並且劉向著錄過。後來《漢書・藝文志》所載的各篇，他也曾吸收了一點，傳授下來。

以上我們證明了《禮記》這部書確是出於戴聖，流傳有自。關于裡邊的篇章來源，根據《隋書・經籍志》有兩種說法：

> 漢初，河間獻王得仲尼弟子及後學者所記一百三十一篇(〈獻王傳〉不言篇數。〈藝文志〉不言獻王所獻）獻之。時無傳之者，至劉向考校經籍，檢得一百三十篇，第而敘之。又得〈明堂陰陽記〉三十三篇，〈孔子三朝記〉七篇，〈王氏史記〉二十一篇，〈樂記〉二十三篇，凡五種，合二百十四篇。戴德刪其煩重，合而記之，為八十五

篇，謂之大戴記。而戴聖又刪大戴之書為四十六篇，謂之小戴記。

他第一是說：大戴是根據劉氏所校及又得之明堂等五種書而來的。這說法第一是「二戴武宣時人，焉能刪哀、平間向、歆所校之書？」（梁任公說）其誤固不待辯。至合「五種」之說，一部分是對的，一部分恐尚有問題。因而作〈經籍志〉的先生們（有說是魏徵──〈隋志〉標題，有說褚遂良──《隋書．五行志序》。有說是許敬宗──記傳有題許者。）看到小戴中有〈明堂〉、〈樂記〉，這當然是出于〈明堂陰陽記〉，和〈樂記〉。〈藝文志〉又有〈三朝記〉，與〈孔子三朝記〉七篇相同的。〈王氏史記〉班固說出於七十子後學，所以他們覺得傳《禮記》者，當然也是要傳的。關于大戴、小戴記中這些篇的來源，他們的說法是對的。可是除了這幾篇以外，焉見得沒有其他的來源和後來〈藝文志〉裡邊所受的其他有關各篇呢？所以五種來源之說是大大靠不住的，（梁任公據〈隋志〉以「合部份而成」說亦誤。）

第二個說法是說：戴氏之《禮記》，不但取于百三十篇及〈明堂〉等五種，並見小戴之記係刪大戴而成的。這個說法是本諸晉司空長史陳邵的。陸德明《經典釋文．序》引陳氏《周禮序》云：「戴德刪古禮二百四篇（此說不見前人）為八十五篇，謂之大戴禮。聖刪大戴為四十九篇，是為小戴禮。」（二百四，〈隋志〉作二百十四，小戴四十九作四十六）。陳說之可靠與否，因為再前沒有記載了，不敢說如何。或者因為看到〈藝文志〉所載的各篇有的見小戴，有的見于大戴，而小戴記之篇數又少於大戴，因此，就作了這一個結論，也是有很大的可能性的。〈隋志〉又說：

漢末馬融遂傳小戴之學，融又益〈月令〉一篇，〈明堂位〉一篇，〈樂記〉一篇合四十九篇。

今本明明四十九篇，為什麼說是四十六篇呢？這個說法，是絕不可靠的。因為西漢成帝時的橋仁，所著《禮記章句》已經是四十九篇了。怎麼到了後漢安、桓帝時候，反而成了四十六篇，還得要馬融去補他呢？（此見《四庫全書總目提要》，是也。）就算橋仁時四十六篇之外的三篇，不是〈月令〉等三篇，可是在這點上必待馬融始足原數，在文獻上一點也找不出證據來。而且鄭玄是馬融親受業的弟子，他如果知道，也應當說明的。（此亦《提要》之說，是也。）且鄭玄在《禮記》每篇題下，引《別錄》屬某。此三篇已在別錄所註明之內，則此三篇在劉氏著《別錄》時，亦是如此矣。由此，我們知道〈隋志〉之說，是靠不住的了。

那麼為什麼〈隋志〉要這樣說呢？尤其是為什麼單指出這三篇來呢？我想他也有他的道理。他覺得〈月令〉、〈明堂位〉、〈樂記〉這三篇，本來與記不是一回事的，他在〈藝文志〉裡，都有他的「所屬」（〈月令〉屬明堂陰陽、〈明堂位〉顧名思義，當然也屬這一類。〈樂記〉當然也屬于樂類）。不應混到記裡來。可是他忘了他曾說《大戴記》、《小戴記》皆是來自記及〈明堂陰陽記〉等五種而成的。這豈不是自相矛盾麼？這一點，固然是我「妄自揣測」，可是〈隋志〉（唐初）的時代，是相當靠後的，而且四十六篇之說，又站不住，關于此點，又沒有其他證據，而且有反證（〈橋玄傳〉），所以我才敢作了這個「大膽的假設」。

由以上的證據，我們知道我們今天所看到的四十九篇小戴記，是出自小戴，最少也是出自小戴之門，而並且是經《別錄》著錄過的，在史料上是相當有價值的。

二、篇次

(1)(2)曲禮：上　鄭玄云：「此於《別錄》屬制度。」

　　　　　下　王氏傳引，有此佚文。

(3)(4)檀弓：上　同上：「《別錄》屬通論。」

　　　　　下　《白虎通．崩薨篇》及〈明堂月令論〉引有此文。

(5)王制：同上：「《別錄》屬明堂陰陽。」《白虎通．崩薨篇》引有此篇佚文。

(6)月令：同上：「《別錄》屬明堂月令。」與《呂覽》十一紀、《淮南・時則訓》同。

(7)曾子問同上：「《別錄》屬喪服。」《白虎通・耕喪篇》引有此篇佚文。

(8)文王世子同上：「《別錄》屬世子法」。

(9)禮運同上：「《別錄》屬通論」。

(10)禮器同上：「《別錄》屬制度」。《五經異義》引有此篇佚文。

(11)郊特牲同上：「《別錄》屬祭祀」。

(12)內則同上：「《別錄》屬子法」。

(13)玉藻同上：「《別錄》屬通論」。

(14)明堂位同上：「《別錄》屬明堂陰陽」。

(15)喪服小記同上：「《別錄》屬喪服」。

(16)大傳同上：「《別錄》屬通錄」。

(17)少儀同上：「《別錄》屬制度」。

(18)學記同上：「《別錄》屬通論」。

(19)樂記同上：「《別錄》屬樂記」。《史記正義》，謂公孫尼子次譔，一部份《荀子》。

(20)(21)雜記上、下 同上：「《別錄》屬喪服。」《大戴・諸侯釁廟篇》，全見此篇。

(22)喪大記同上：「《別錄》屬喪服」。

(23)祭法同上：「《別錄》屬祭祀」。

(24)祭義同上：「《別錄》屬祭祀」。《大戴》之〈曾子大孝篇〉，全見此篇中。《漢書・韋元成傳》，及《白虎通・耕喪篇》引有此篇佚文。

(25)祭統同上：「《別錄》屬祭祀」。

(26)經解同上：「《別錄》屬通論」。

(27)哀公問同上：「《別錄》屬通論」。同《大戴》。
(28)仲尼燕居同上：「《別錄》屬通論」。
(29)孔子閒居同上：「《別錄》屬通論」。
(30)坊記同上：「《別錄》屬通論」。以下四篇沈約謂即〈漢志〉子思二十三篇中一部。
(31)中庸同上：「《別錄》屬通論」。《史記》謂子思作。《漢書・藝文志》有〈中庸〉二篇，或疑今《中庸》有言「華嶽」處，非子思時所應及。按《禮記》成篇多為拚湊，本不出于一時或一手。〈中庸〉一篇亦可看出此等裂痕，其內言思想者，可知係孟子之一派。則此篇〈中庸〉，或有子思之遺作也。
(32)表記同上：「《別錄》屬通論」。
(33)緇衣同上：「《別錄》屬通論」。劉瓛謂公孫尼子作。
(34)奔喪同上：「《別錄》屬喪服」。
(35)問喪同上：「《別錄》屬喪服」。
(36)服喪同上：「《別錄》屬喪服」。
(37)閒傳同上：「《別錄》屬喪服」。《白虎通・性篇》引有此篇佚文。
(38)三年問同上：「《別錄》屬喪服」。同《荀子》。
(39)深衣同上：「《別錄》屬制度」。
(40)投壺同上：「《別錄》屬吉禮。」同《大戴》。
(41)儒行同上：「《別錄》屬通論」。
(42)大學同上：「《別錄》屬通論」。
(43)冠義同上：「《別錄》屬吉事」。
(44)昏義同上：「《別錄》屬吉事」。

(45)鄉飲酒義同上：「《別錄》屬吉事」。

(46)射義同上：「《別錄》屬吉事」。

(47)燕義同上：「《別錄》屬吉事」。

(48)聘義同上：「《別錄》屬吉事」。《大戴．朝事篇》一部份，自「聘禮」至「諸侯格焉」，見此篇。

(49)喪服四制同上：「《別錄》屬喪禮」。《大戴．本事篇》一部份，自「有思有義」至「聖人因殺以見節」，見此篇。

以上共四十九篇。

三、禮記之價值

《禮記》一書，其成份之來源略如上述。其中多有古代之制度，禮俗之史料（如〈檀弓〉、〈明堂位〉、〈投壺〉是）。其在儒家學說思想之史料中，價值更高，影響吾人生活方面者至鉅。我們要知道，在孔門中，「禮」是一門很重要的學科，也是儒家在政治組織、社會組織上的一種工具。所以它是孔門「處人律己」的規範，也是施政和治民的法典，（在孔子時已是如此）。這在荀子的學說裡，表現得更為明白。荀子主張「性惡」，所以他更特別注重「禮之用」，李斯承之，以佐秦法，秦之法制，本來是儒家所附繫的（某先生說）孟子是不大注重禮的。儒家學說之有哲學的氣味，可以說自孟子始。《禮記》這部書，可以說是包括了儒家對於禮的觀念、態度、用途及哲學的思想（如〈中庸〉、〈大學〉是）。由它可以看出從孔子以自西漢儒家儒生演變的痕迹。到了秦漢，傳其哲學者少，蓋以儒者本少抽象觀念，如性善之辯、浩氣之養、至誠之說，或為言而行知，或頌人格之極致者也。所以這時候的儒士、經生在純思想這方面，多接受了陰陽五行的觀念了。（漢之經生、無不雜陰陽家之說以解經者，董仲舒、劉向其尤著者也。關於此點，孔子雖有「鳳鳥河圖」、「斯文在茲」之嘆，這不過是對於古代傳流的術數，及「懸記」（胡適之先生說）加以重視而已。並不像漢儒之將內在的性、情，社會的倫理、政治的思想及制度，均以陰陽五行配之也。至於《荀子．非十二子篇》，謂子思、孟子「按往舊造說，謂之五行。」此於今之〈中庸〉（說，見中庸目下。）《孟子》中，都找不到這類的思想和言論（或者是後代的孟氏之儒有言之者歟？）其言「處己律人」也就是拿禮作為人格教育的工具，像〈曲禮〉、〈檀弓〉、〈曾子問〉、〈文王世子〉、〈郊特牲〉、〈內則〉、〈玉藻〉、〈少儀〉、〈學記〉、〈雜記〉、〈大學〉諸篇，都是說公私生活方面的。可是比起孔子的倫理的說法，有些地方顯得迂腐得多了。其言政治制度及社會組織的，像〈王制〉、〈禮運〉及記載有關〈祭禮〉、〈喪服〉、〈喪禮〉、〈宗法〉等篇，固然能發揮他們的政、法、理思想及理想制度，可是可以看出一般的腐儒們越變越成為迂闊、瑣屑不堪了。秦始皇之罷七十博士（〈本紀〉），漢高之輕儒生（《史記．酈食其傳》），改正朔、易服色、議封禪、巡狩、立明堂，雖不全見納於當時之君（《史記．封禪書》），不過可以看出來皇帝要講制度總是要向儒生們請教的。其他像〈禮運〉、〈樂記〉、〈大傳〉、〈三年問〉、〈祭義〉、〈祭統〉、〈冠昏諸義〉等篇，則是給禮治主義下了一個定義，闡述制度之精義及其功用。並將古代的禮制、習俗給他以合乎人情的理論，這倒還是不失孔子、荀子之初意的（如有子之解釋祭祀為「慎終追遠」，荀子之解釋喪禮為「敬始慎終」是。）

由上邊我們大略可以知道儒家學說，其本身之注意及其影響於後代的，多在政治制度、法律、公私生活方面的原因（本書各篇），是有其淵源的了。（吾國思想學說方面，秦漢多受黃老之影響。晉唐後多受道佛之影響，某先生說是也。）

四、本書之讀法

讀本書應注意下列幾點：

（一）這部書既然有關古代史料的，我們就應當以治古史的方法態度去讀，可是應特別小心的，就是這裡邊的有關古史部份的，有的是真的史料，有的是儒家「托古改制」的，或者假古人以立說的（這種態度、孟子就常有的）。所以對於這些部份必須參以其他可靠的史料（尤其是同時的），審以他們當時引用的用意，才可以判斷材料是真的，或者是儒者假托來支持自己的理論的。

（二）是以治儒家思想史的目的去讀，這可以說是讀這部書最大的目的了。可是我們有些也應當注意的，第一是思想的派別。《韓非子・顯學篇》有「儒分為八」之論。可見儒家自孔子以後，派別已經很多了。今天我們固不可能強為分別，各歸其宗；可是我們總要特別注意這點。應當先根據可靠的有關的史料（如《論語》、〈檀弓〉、《孟子》、《荀子》）。看看孔子及門弟子後學的言行，這書裡邊，合乎某人的，就可以認為可靠。否則就是這一派演變假托的，不過這可以認為是屬於這一派的。至於找不出他的思想的來源，只好「疑以傳疑」了。第二是關于「子曰」、「孔子曰」的地方、也應特別注意。因為子曰的子，不一定就是孔子，可能是七十子後學之稱其本師，（如〈中庸〉之子曰，可能是指子思。）孔子曰，則要看其所說的內容如何，是否合乎孔子的學說、思想，相合的，大概是真的孔子的話；不合的，就是後儒假借先師的說話以自重了。

（三）《禮記》中之對禮之應用於生活方面的，雖然在數千年後，仍然有許多的地方還是可作為律己處世之典範的（如〈曲禮〉等是），所以可作為修身的教本。以上三者，是據梁任公的分法。

《中華文化復興月刊》第三卷第十一期（一九七〇年十一月），頁五五—五七

《儀禮》復原實驗小組研究成果綜合報告

一九六五年——一九六九年

孔德成
臺靜農

《儀禮》一書是屬於儒家經典之一。皆記先秦禮俗，載其階級之制，明其進退之節，欲明古禮，莫詳於是。是書既為儒家之經典，內容或不免有儒家思想成份和主張。但以此類有關社會習俗、政治制度之作，似不能全屬憑空臆造。況儒者為保存、傳授古代典冊之專家，由其流傳之典籍，其中必有以前或當時之史實。吾人處於史闕有間之今日，欲研究我國此部分之史料，是書當為最有價值者也。

唯是書以動作為主，若祇依傳統研究方法，以文字為考訂之資，恐終難予人以確切之感。東亞學會主任委員李濟博士與委員孔德成教授有鑒於此，乃由李博士在學會中首先倡導復原實驗工作，用影片寫實方法，表而出之，代替用文字之敘述。雖云嘗試，然以此而研究我國古史之一環，則為創舉也。

本小組以臺教授靜農為召集人，孔教授德成為指導人，由臺灣大學考古人類學研究所、中國文學研究所研究生從事分題研究，每人研究一專題，計分：儀節、器物、衣服之制、宮室、喪禮服制、墓葬、車馬、樂器、民俗、文法等十項。研究方法則運用考古學、古器物學、民族學、民俗學、語文學，再參互比較文獻之資料，以及歷代學者研究之成果，詳慎考證，冀近其實。

現已完成者，計〈士昏〉、〈士相見〉、〈士喪〉、〈既夕〉，及〈特牲〉、〈少牢〉之一部份。每種論文合為「儀禮復原研究叢刊」，已交由中華書局印行，其中樂器、車馬、宮室三篇並曾在本學報發表。〈士昏禮〉亦已攝成電影，其餘則以經濟艱窘，無法拍製。

又因近年武威出土《儀禮》漢簡七篇，即：〈士相見禮〉、〈服傳〉（共三篇，兩篇附傳，一篇無傳）、〈特牲〉、〈少牢〉、〈有司〉、〈燕禮〉、〈泰射〉，為我國經典所見最早之本，劉文獻君以唐以來傳本及漢石經殘字，作一考校，成《武威漢簡儀禮校記》一書，已由本會出版。

茲將各項研究成果摘要錄後：

一、〈士昏禮〉儀節研究（張光裕）

《儀禮．士昏禮》敘述當日士人舉行之昏禮，主要分納采、問名、納吉、納徵、請期、親迎等六步驟，親迎之次日，復需行婦見舅姑、贊醴婦、婦饋舅姑、舅姑饗婦、舅姑饗送者等儀節。本文根據經文之記載，歸納歷來禮家對該等儀節之詮釋，並配合宮室、車馬、器物、服飾各項專題研究，確定昏禮進行過程中各種人物之進退法度，起坐，面向部位，以及各類器物布陳及取用方式等等細節。另外並附有本篇經文之白話翻譯，便於初學。

二、〈士相見禮〉儀節研究（張光裕）

古代社會，各階層人物皆注重煩瑣之交際禮節，每當主客相見，賓客需攜帶與其身份相當之禮物——贄，與主人行相見之禮。《儀禮．士相見禮》乃記載此類有關儀節，然通篇並不限於士人相見之敘述，其中包括有士與士相見，士見於大夫，大夫與大夫相見，臣見於君

〈庶人見君，士見君，大夫見君及外使見君〉等各種不同之相見方式。本文以《武威漢簡》為底本，並搜羅散見於先秦典籍中有關材料，依經文區分篇章，作一綜合之研究。

三、〈士喪禮〉、〈既夕禮〉儀節研究（張光裕）

喪禮於五禮中屬凶禮，儒家本其事死如事生之孝道觀念，尤重於喪事之舉行。〈士喪〉、〈既夕〉兩篇對當日士人喪葬之禮儀，記載詳備；〈士喪禮〉記述自「始死」以後四天中，舉行赴告、弔襚、沐浴、飯含、襲尸、小斂、小斂奠、大斂、殯、大斂奠、成服、朝夕哭奠、朔月奠、筮宅、卜葬期等儀節。〈既夕禮〉為〈士喪禮〉之下篇，自葬前一日請啓期、啓殯、遷柩朝祖、陳葬具、國君及賓客致贈賻儀以至埋葬當日舉行之陳大遣奠，讀賵讀遣，柩車發行，窆柩藏器，反哭就次及其他葬後儀節等，皆有詳細之敘述。此兩篇之記載成為研究古代喪葬禮俗之絕佳材料。本文除參考前人有關論述外，並利用田野發掘之新資料，與文獻記載作結合之研究，得證《儀禮》敘述喪葬之詳情，泰半與出土原始資料顯示之狀況相脗合。

四、〈特牲饋食禮〉儀節研究（黃啓方）

本專題之主旨，乃為考察當日「士人」階級祖先祭祀之儀式，期達復原之目的。特牲饋食之禮計分：將祭筮日、筮尸、宿尸、宿賓、視濯、視牲、陳設、陰厭、尸入九飯、主人初獻、主婦亞獻、獻賓與兄弟、長兄弟眾賓長加爵、嗣舉奠獻尸、旅酬、佐食獻尸、尸出歸尸俎徹庶羞，嗣子長兄弟餕、改饌陽厭、禮畢送賓等二十節，皆參考有關文獻，於執事人等之進退、面位、方向、作最合理之判斷，以確定其行禮時之實際情況，為日後復原之依據。

五、《儀禮・少牢饋食禮》儀節研究（章景明）

少牢饋食之禮為大夫祭其祖先宗廟之禮，於五禮屬吉禮。鄭康成謂少牢為：「諸侯之卿大夫祭宗廟之牲。」不包天子之卿大夫，則其禮似有不同。考少牢較特牲多用一羊，特牲為士禮，則少牢乃卿大夫之禮，當可無疑。而太牢用牛、羊、豕三牲，為天子諸侯之禮，則天子之卿大夫似無用太牢之理，且太牢、少牢之名，至春秋始有，然則少牢之禮，恐未必如鄭康成所稱但為諸侯之卿大夫之禮也。

本文乃就《儀禮》少牢饋食之禮一篇所記，自「將祭筮日」以至於「養」之間等等儀節，逐步考察其行禮之經過情形，以及行禮者行事時之部位、面向等等問題，期能獲致可以實驗與復原之結果。

六、〈士昏禮〉器物研究（劉文獻）

本文研究範圍，限於食器、飲器、水器與有關前三者之雜器。所包含之器類二十有五——食器八、飲器六、水器三、雜器八。茲簡介如下（除飲器之爵兼指〈士相見禮〉外，其餘限於〈士昏禮〉）：

第一類　食器

（一）鼎：有豚鼎、魚鼎、腊鼎。依次而小，為列鼎。青銅製。分盛煮熟之小猪、魚及乾肉。形狀三足兩耳一腹；標本用圓形，原器為蔡侯墓鼎。

（二）匕：有豚鼎匕、魚鼎匕、腊鼎匕。配合三鼎，依次而小。青銅製。用以別出鼎中肉類，置於俎上。形狀有葉（容器本身）、柄、枝（柄末分叉）。標本原器為蔡侯鼎所附出，戰國時器。

（三）俎：有豚俎、魚俎、腊俎。配合三鼎，依次而小。木製。分盛鼎中別出之肉類。俎面有四十字形穿孔，面下有四足。標本原器為十字紋俎，戰國時器。

（四）豆：木製。分盛肉醬、泡菜等帶汁之食物。上有盤，為容器本身；中有柄；下有座（圈足的一種）。標本原器為虢國墓所出漆豆，東、西周間器。

（五）籩：係竹製之豆（標本依木豆改製）。盛肉脯等乾物。

（六）登（鐙）：為陶製之豆。盛不加佐料之原汁肉湯。標本依銅製鱗紋豆改製，西周時器。

（七）敦：青銅製。分盛黍和稷。有腹，標本之敦有蓋，下無足。標本原器為齊侯敦，春秋時器。

（八）笲：竹製。分盛水果、肉乾與青菜等。容器內外各加一層布。標本原器為樂浪墓果盤，漢器。

第二類　飲器

（一）爵：青銅製。用以飲酒。三足、兩柱、一腹、一鋬（柄）、一流、一尾。標本原器為父乙臣辰爵，西周器。

（二）卺：剖匏為半，用以飲酒，專為新婚夫婦而設。標本依宋聶崇義《三禮圖》。

（三）觶：青銅製。用以飲酒。有腹，下有圈足。標本原器為雷紋觶，西周器。

（四）柶：牛角製。用以取食觶中之酒糟。有平板之葉，有柄。標本仿商器。

（五）甒：銅製。貯酒用。有頸，有腹，下圓底。標本依齊國佐罎。春秋時器。

（六）勺：青銅製。用以自甒舀酒。有斗（容器本身），有短而中空之金屬柄，再接以木柄。標本原器為○勺，商器。

第三類　水器

（一）罍：青銅製。貯水用。有頸，有腹，圓底，肩部兩獸耳銜環標本原器為滔牧罍，西周器。

（二）洗：青銅製。盥手或洗酒器時，置於底下以承汙水者。有腹，寬唇。依宋以來所謂之洗。

（三）枓：青銅製。用以自罍舀水。有斗（大於勺），有中空之金屬柄（部份成槽狀），再接以木柄。標本原器為仩吏枓，戰國器。

第四類　雜器

（一）扃：舉鼎之圓木棍。有豚鼎扃、魚鼎扃、腊鼎扃。配合三鼎，依次而小。標本參鄭《注》、《說文》及《聶圖》而成。

（二）鼏：覆鼎之圓草蓋。有豚鼎鼏、魚鼎鼏、臘鼎鼏。配合三鼎，依次而小。標本據鄭玄《儀禮注》。

（三）豆巾：布製。有大巾，一次蓋六個豆；有小巾，一次蓋一個豆。大巾方形，小巾圓形。標本參《聶圖》而成。

（四）籩巾：布製。圓形。用以蓋籩。標本參《儀禮》及《聶圖》而成。

（五）橋：木製。用以置笄。上有十字形笄托，下有十字形足，中間為細圓柱。標本依《聶圖》。

（六）甒冪：布製。長方形，兩邊各綴以竹條。先蓋住甒口，其上置勺，再以剩餘之冪蓋勺。標本依《儀禮》。

（七）禁：木製放甒之平臺。禁面長方形。下有曲足。標本參鄭《注》及樂浪墓漆案。

（八）簠：竹製。放爵、巹等飲器之容器橢圓形。下有四足。標本參鄭《注》，虢國墓馬車及漢畫而成。

除文字報告外，此二十五類器物，針對實驗儀式之需要，皆複製模型，計五十五件。

七、〈士喪禮〉器物考（沈其麗）

（一）棺：採用長沙出土之木槨，折及抗席均有出土，抗木與茵則無，姑按經文復原。

（二）竹笏：〈玉藻〉：「笏度二尺有六寸，其中博三寸，其殺六分而去一。」未有實物出土。

（三）貝：河北懷來縣北辛堡戰國墓出土之隨葬物內有貝。戰國時代出土之貝，多屬子安貝，故據之以復原。

（四）豆：此處之豆為量器，採用故宮所藏之「嘉量」（獻）。

（五）枕：採用北宋修武窰之磁枕為形制，惟以木製，漆黑色，以符合士喪禮之用。

（六）重木：未見實物出土，參三禮復原。

（七）鼎：採用壽縣蔡侯墓出土之列鼎為復原依據。

（八）杖：甘肅武威磨咀子漢墓出土有鳩杖，平置於棺蓋，可供參考。

（九）弓矢及矢箙：弓採用長沙掃把塘出土之戰國竹弓。矢及矢箙則採用長沙左家公山出土之戰國箭矢及矢箙。

（十）干：採用長沙左家公山戰國墓出土之木盾。

八、〈士昏禮〉服飾考（陳瑞庚）

（一）爵弁服考：

爵弁（蓋以爵色韋為之、狀如兩手相合抃時也；士無瑧飾）。象笄、（長尺二寸。）緇組紘、纁邊。純衣。緇帶（以黑繒為之、廣二寸、裨末、紐約用組；紳長三尺。在革帶之上。）纁裳緇袘。靺韐（其制似韠、合韋為之、染以茅蒐、無繪飾。）、格帶（廣二寸、所以佩韠佩玉也。）纁屨黑絇繶純（純博寸。屨夏用葛、冬用皮。）

附：中衣用素。瑱用石，（懸之以紞）。佩用衡、璜、琚、衝牙；蠙珠以納其間。

（士佩瑀紋、縕組綬。一命幽衡。）

（二）玄端服考：

玄冠（一名委貌、為較小之冠，冠廣二寸、緣邊、冠質用繒。）綦組纓。衣用十五升黑布為之。裳有玄、黃、雜之色。緇帶、爵韠、革帶、黑屨青絇繶純。

附：有安髻之笄、無固冠之笄、有纚（長六尺、廣終幅。）中衣用布。餘蓋與爵弁服同。

（三）各角色之服飾考：

(1)主人（父女）——玄端。
(2)使者——玄端。
(3)擯者——玄端。
(4)老——蓋玄端。
(5)贊——蓋玄端。
(6)人（授「人」脯）——蓋玄端。
(7)婿——爵弁服。
(8)從者——玄端。

(9)執燭前馬——據漢石刻及壁畫考定復原。

(10)女父——玄端。

(11)女——次、純衣纁袡、景、纓、衿、帨、鞶。

附：蓋有笄。紞。瑱。帶。佩。屨。中衣。（據長沙出土龍鳳人物帛畫服飾復原）。

(12)姆——纚笄宵衣。

(13)女從者——玄衣、纚笄、被潁黼。（據長沙出土女侍俑服飾復原。）

(14)御車者——蓋玄端。

(15)舉鼎者——蓋玄端。

(16)舅——蓋玄端。

(17)姑——蓋纚笄宵衣。

(18)人（姑受婦笄授「人」）——蓋玄端。

(19)婦氏人（丈夫送者）——蓋玄端。

(20)祝——玄端。

（四）附錄：近年出土考古資料圖片數十幅。

九、〈喪服〉服飾考（陳瑞庚）

（一）斬衰：

(1)斬衰裳。衰、適、負。首絰、腰絰。杖。絞帶。冠繩纓。菅屨。（附：中衣。）

(2)布總。箭笄。髽。衰。

(3)（公士大夫之眾臣為其君）布帶繩屨。

（二）疏衰

⑴疏衰裳、牡麻絰、冠布纓、削杖、布帶、疏屨。

⑵疏衰裳、齊。（以下同上條）。

⑶不杖麻屨者。

⑷疏衰裳、齊、牡麻絰、無受者。

（三）大功

大功布衰裳、牡麻絰、無受者。

（四）小功

⑴小功布衰裳、澡麻帶絰、五月者。

⑵小功布衰裳、牡麻絰、即葛、五月者。

（五）緦麻

緦麻三月者。

附：

⑴繐衰、牡麻絰、既葬除之者。

⑵公子為其母、練冠、麻、麻衣縓緣。為其妻、縓冠、葛絰帶、麻衣縓裳。

⑶女子適人者、為其父母；婦為舅姑、惡笄有首以髽。卒哭、子折笄首以笄、布總。

十、士喪禮服飾考（陳瑞庚）

第一日、將死、始死：

（一）死者（未死時）徹褻衣（玄端）加新衣（朝服——玄冠、十五升緇布、素裳、緇帶、素韠、白屨緇絇繶純、中衣用布。餘同爵弁服）

（二）男女（死者近親）改服。去冠笄纚、徒跣、服深衣、扱上衽。

（三）主人兄弟——（同上）

（四）婦人——蓋亦去笄而徒跣。

（五）衾——緇衾、赬裏、無紞。

附衿——單被、制同衾。

（六）復者——朝服。

（七）復衣——爵弁服。

（八）（赴時）主人（同二）

（九）赴者——蓋朝服。

（十）賓——主人此時尚未改服喪服、故賓蓋朝服。

（十一）君使「人」弔——蓋朝服。

（十二）君使「人」襚——同上。

（十三）賓（有大夫、有士）——蓋朝服。

（十四）親者（大功以上，有同財之義者）——蓋素冠、深衣。

（十五）庶兄弟——同上。

（十六）朋友——蓋朝服。

（十七）徹衣者——蓋朝服。

（十八）甸人——蓋朝服。

（十九）明衣裳——袂屬幅，長下膝，有前後裳，不辟，長及轂，縓緆緆，緇純。
（二十）鬠笄——緌中。
（二一）布巾——環幅不鑿。
（二二）掩——練帛，廣終幅，長五尺，析其末。
（二三）瑱——用白纊。
（二四）幎目——用緇，方尺二寸，經經裏，著，組繫。
（二五）握手——用玄，纁裏，長尺二寸，廣五寸，牢中旁寸，著，組繫。
（二六）決——用正王棘，若檡棘，組繫纊極二。
（二七）冒——緇「質」，長與手齊，經「殺」，掩足。
（二八）爵弁服，純衣。
（二九）皮弁服。
（三〇）褖衣。
（三一）緇帶。
（三二）韎韐。
（三三）竹笏。
（三四）屨。
（三五）管人——蓋朝服。
（三六）夏祝——此時蓋朝服。
（三七）外御——蓋朝服。
（三八）商祝——蓋朝服。
（三九）宰——蓋朝服。

（四〇）祝——蓋朝服。

第二日、小斂（未完）

十一、《儀禮》宮室考（鄭良樹）

《儀禮》全書提及「寢」之部為名稱，約有三十三種；提及「廟」之部位名稱，約有三十六種。為了研究上的方便，本文「寢」「廟」劃分為若干小部位；從這若干小部位，討論它們個別的位置、行制、用途等；然後，再合併為一建築物。歷來學者對建築物之研究，皆僅偏重於平面上，立體之形制完全被忽略。本文參考漢畫，完成此項工作，每一小部位討論完畢後，皆儘可能將結論繪成一圖，以為復原之準則。

本文所討論之建築部位，計有下列二十三種：曲、東西壁、碑、兩階、楝、楣、庪、棿、東西序、東西楹、東房、西室、戶、牖、北堂、北階、闑、閾、塾、窔、西北角、奧及霤。

本文最後一部分，乃就建築物本身之深、廣作推測性之研究。

十二、先秦喪服制度考（章景明）

本文之作計分：敘論、喪期、喪服三章，茲識其大要如下：

（一）敘論

⑴據民俗學、人類學、社會學等知識，推定喪服乃祖先崇拜及恐懼鬼魂作祟之心理下所產生之禮俗。

⑵斬、齊、大功、小功、緦麻五服，乃是根據宗法組織所形成之親屬網，依其親疏遠近及上殺、下殺、旁殺之法為標準，而制定之喪服制度。

(3)《儀禮・喪服》與所載之服制以及《禮記》〈大傳〉、〈小記〉所稱之宗法制度，當是經儒家組織後予以提倡者，先秦之世所行者，恐未若是之嚴密。
(4)三年之喪，或為孔子因居所之故而採取之東夷舊俗，並賦予新理論，先秦之世，並未得普遍實行。
(5)先秦服制，確因階級之差別等第而有不同。
(6)先秦無義服，義服之說至漢始有之。

（二）喪期

此章專據《儀禮・喪服》與之規定，參以先秦典籍所載之事實及後儒之說，逐條討論著服之人與所服之對象間之關係，以及喪期之久暫等問題。

（三）喪服

此章內容有二：一為服飾制度；一為服喪之生活情形，皆依五服等第，逐一論說。

十三、《儀禮・士喪禮》墓祭研究（鄭良樹）

通過書本上之文獻及地下發掘之直接材料，本文企圖對先秦以上、殷商以下之墓葬作個詳細之研究。此研究，包括墓坑形制、埋葬制度及棺槨構造。

本文大量採用地下出土之材料，並將此材料粗分為殷商、西周、春秋及戰國四個時期；以期觀察某種形制及制度之演變。對於文獻上之印證、修正及補充而言，有莫大之裨益。

十四、《儀禮》車馬考（曾永義）

本文研究之方法：先就先秦典籍中有關之材料加以論證，然後再結合田野考古發掘之實物予以研判，藉此以獲得接近事實之結論。全文計分四章二十六節，其主要內容如下：

（一）《儀禮》中所使用之車馬

〈士昏禮〉新娘與新郎乘墨車以攝盛，其貳車為棧車。公食大夫禮大夫乘墨車，副車為棧車。覲禮之同姓諸侯始乘金路，副車為象、革、木之屬。及入國門為避王，乃改乘墨車，其副車亦降為墨車。王賜同姓諸侯以金路。王朝日於東郊以祀，所乘之車為玉路，其副車為金、象、革、木之屬。〈士喪禮〉君往視斂所乘之車為象路，其貳車為革、木之屬。主人主婦乘堊車，其貳車亦為堊車。此外，乘車、道車、槀車、柩車皆為棧車之屬。

（二）先秦駕車馬數考

天子、諸侯每車駕四馬，大夫、士平常駕兩馬，有大事時亦可駕四馬。前人駕三、駕六之說，先秦無其制。

（三）馬車之結構

先考述《考工記》之車制，再以田野出土之馬車形制（小屯殷墟，安陽大司空村、張家坡、濬縣辛村、上村嶺、輝線等車馬坑）比較參證，從而擬定：輝縣琉璃閣出土之第一號車為金車，第十九號車為棧車，上村嶺第一七二七號車馬坑第三號車為墨車。

（四）車飾和馬飾

先考述金文、文獻上所見之車馬飾及旗幟，再介紹田野考古所出土之車馬飾，從而擬定

《儀禮》中所使用之車馬飾。

十五、儀禮樂器考（曾永義）

見於《儀禮》一書之樂器計有鐘（笙鐘、頌鐘、鎛）、磬（笙磬、頌磬）、鼓（建鼓、朔鼙、應鼙、鼗）、瑟、笙、管等六類，故分立六章討論。此外、又別為「樂縣考」與「儀禮音樂演奏之概況」各一章。茲簡述各章內容如下：

（一）**鐘：**

⑴笙鐘為東縣應笙之編鐘之專名。頌鐘為西縣和歌之編鐘之專名。縣中特縣用以節奏之鐘稱鎛。

⑵以戰國信陽編鐘十三枚為代表。

（二）**磬：**

⑴笙磬、頌磬如笙鐘與頌鐘。

⑵以輝縣琉璃閣六十號戰國墓之十三枚編磬為代表。

（三）**鼓：**

⑴建鼓為貫楹而植之之鼓，其用在於節奏。以西縣之鼙鼓以其始鼓故名朔。在東縣應朔鼙之鼙鼓名應。鼙鼓為一種小縣鼓。鼗鼓為以木柄植之而無座之小鼓。鼓腔兩側繫二小錘以便搖擊。其用在於導樂。

⑵建鼓以信陽楚墓大鼓為鼓身而高其鼓腔，再參以漢畫象石建鼓之安置方法貫楹植之

而有座，上設羽葆壁翣。鼙鼓或取江陵戰國楚墓之虎座鳥架小鼓，或取拍馬山戰國楚墓之虎座鳥架小鼓為代表，𪔳鼓以儀禮疏所繪之圖象為規模。

（四）**瑟：**

⑴二十五絃瑟為春秋戰國較常見之瑟。

⑵以信陽楚墓二大瑟為《儀禮》「二瑟」之代表。

（五）**笙：**

⑴〈鄉射〉記「三笙一和」，「和」為小笙。

⑵以信陽楚墓出土之錦瑟上所繪之笙與沂南石墓壁畫之笙，略考古笙之形制。

（六）**管：**

⑴簜為竹樂器之共名，其在大射係指管而言。

⑵管之形制大致為：長尺、圍寸、六孔、無底、併倆吹之。

（七）**樂縣考：**

⑴編鐘、編磬之數目多寡不定，非鄭玄所謂一組十六枚。出土實物以汲縣編鐘十四枚為最多。

⑵據邵鱉鐘銘文「大鐘八隶，其竈四鍺」得知小胥經文「肆」與「堵」誤錯。本應作「凡縣：鐘磬全為堵，半為肆。」

⑶鄉飲用樂為判縣二肆，鄉射為特縣一肆，燕禮禮盛者軒縣三堵，禮輕者軒縣三肆。大射為軒縣三肆（北縣聊以建鼓備形制。）

（八）《儀禮》音樂演奏之概況：

(1)鄉飲酒禮用樂計分升歌、笙奏、間歌、合樂、無算樂、奏陔六節。

(2)鄉射禮用樂計分合樂、無算樂、奏陔三節。

(3)燕禮禮盛者用樂計分奏肆夏、升歌、下管、合鄉樂、勺舞、奏陔六節。禮輕者用樂計分升歌、笙奏、間歌、合樂、無算樂、奏陔六節。

(4)大射禮用樂計分奏肆夏、升歌、下管、無算樂、奏陔、奏驁夏六節。

十六、〈士昏〉、〈士喪〉民俗研究（黃啟方）

《儀禮．士昏禮》中所顯示之古時昏俗，與目前通行者，或有因時因地之差異，然其一脈相承之關係，是可確定者，即婚姻必經納采、問名、納吉、納徵、請期、親迎、廟見諸程序，始告成立；而其以雁贄見禮，以布帛為聘禮，婚日不賀，嫁女之家三夜不息燭，娶婦之家三日不舉樂等習俗，均可見婚姻之嚴肅與簡單隆重。古今婚姻之觀念不變，皆視之為兩姓之大事，然於態度與形式上，今日舖張、喧鬧之情形，則為古人所不取也。

《儀禮．士喪禮》所顯現之喪葬習俗，則有如下之特色！

（一）直接加於死者之行事：

如遷尸、屬纊、幠、楔齒、綴足、沐浴、飯含、襲、殯、斂、啓殯、朝祖，窆葬等。

（二）居喪者之行事：又可分為：

(1)疾病時之設施：如復魂、帷堂、赴、為銘、設重、掘坎、湼厠、掘肂、卜宅，卜日，塗棺，飾棺，設燎，讀賵、讀遣等。

(2)居喪時之生活態度：哭、踊、變服。

（三）弔，奠，祭：

奠事又分始死奠、小斂奠、大斂奠、朝夕奠、朔月奠、薦新奠、朝祖奠、大遣奠。祭又分虞祭、墓祭、卒哭祭、祔祭、練祭、大祥、禫祭、吉祭。

（四）殉葬：

包括人與動物的殉葬，實物的殉葬，明器的使用。

古人於死者抱「奉體魄，事精神。」之態，故儀式雖以繁縟，實則正乃儒家「慎終追遠」之具體表現。舊民俗學上言，則加於死者之一切設施，均為保護尸身，亦即「藏」之觀念之實現也。

十七、士昏、士相見禮文法研究（胡嘉陽）

分析「士昏禮」、「士相見禮」之句式，乃希望從文法之觀點探索《儀禮》之著成時代。然分析結果，因缺少類似而又能確定時代之文體作比較參證，故只能歸納文法成分之特徵，以為大致之揣測。

「士昏禮」句式簡單。以簡句為多，偶有一、二繁句。即使簡句亦往往省略起詞，省略止詞，省略主語，僅以一動詞成句，一謂語成句。句子與句子間關係不密切，大多僅以時間關係，聯合關係相接合，然極少表時間，表聯合之關係詞與限制。稽於以上特徵；許師詩英以「士昏禮」為不成篇之文章，不過為一種禮單：大致說明當時婚禮之一切禮節過程。竊亦以此意見為是。

「士昏禮記」句式比「士昏禮」繁雜。繁句多，句與句間之關係亦較密切。除以時間關係、聯合關係相結合外，更有不少以假設關係，因果關係，推論關係相結合之複句，並且有明顯之表假設、表推論之關係詞與限制詞。「記」原為補充正文。說明經義者，其著成時代必在正文之後。從文法觀點，亦可獲得證明。

「士相見禮」全篇句式與「士昏禮記」句式相差無幾，比「士昏禮」之繁句多，句與句間之關係亦頗密切。除以時間關係，聯合關係相結合外，更有不少以假設關係、因果關係、推論關係相結合之複句，並且有明顯之表假設、表推論之關係詞與限制詞。而處所補詞前之關係詞，在「士昏禮」中全用「于」，在「士昏禮記」、「士相見禮」中却混用「于」、「於」。故竊疑「士相見禮」之著成時代約與「士昏禮記」之著成時代相當。若以「某也不依於贄」、「某無以見」之句法為《論語》、《孟子》中所有，「士相見禮」可認為係春秋戰國時代之作品，「士昏禮」則為稍前之作品。

《中國東亞學術研究計劃委員會年報》第九期（一九七〇年八月），頁一——十五。

梁其鐘銘釋文

沕囟曰：不顯皇且考、穆穆異異，克悊久德，辳臣先王，𢦚屯亡敃。沕囟，肇帥井皇且考，秉明德，虔夙夕，辟天子：〇以上鉦銘

沕囟，即梁其。稻粱字，【陳公子甗】（春秋中期），【曾伯霥簠】（春秋較早）等皆作沕。囟，即其；西周金文皆如此作。【厚趠鼎】（西周早期）：「囟子子孫孫永寶。」春秋時作其，【函皇父毁】（春秋早期）：「畁萬年子子孫孫永寶用。」同出有【善夫沕囟毁】，是沕囟官為善夫。善夫，即膳夫。《詩．十月之交》：「仲允膳夫。」《周禮．太宰．膳夫》：「上士二人，中士四人，下士八人，掌王膳羞之職。」【克鼎】，克亦為善夫。觀其銘，其職甚崇，似非《周禮》所稱，掌膳羞者。不，經典作丕；金文皆如此作。《爾雅．釋詁》：「丕，大也。」顯，《詩．文王》傳：「光也。」兩周金文常見之辭。【大豐毁】（西周早期，蓋武王時器）：「不顯考文王。」【毛公鼎】（西周晚期）：「不顯文武。」《書．文侯之命》：「丕顯文武。」《詩．韓奕》：「丕顯申伯。」皆是也。皇，皇，《詩．皇矣》傳：「大也。」且，即祖。金文至春秋時始作祖（如【綸鎛】、【陳逆簠】）。祖殷時只稱且（甲骨、金文），兩周亦爾（金文、《詩》、《書》）。考者、父死之專稱（最早見西周早期之【大豐毁】）。故祖考連稱仍多指祖與考言，【單伯鐘】：「不顯皇且刺考，……余小子肇帥井朕皇且考……。」皇祖考，即皇祖刺考之簡詞，亦猶《詩．斯干》：「似續妣祖。」〈豐年〉：「烝畀祖妣。」之言妣與祖，祖與妣。惟【吳彭父毁】：「……作皇且考庚孟障毁。」

（共二器，皆蓋器對銘。西周晚期。）此例甚少見。〈曲禮〉曰：「祭王父曰皇祖考。」蓋本於西周晚葉，偶見之習爾。穆，《爾雅．釋詁》：「穆，敬也。」《詩．文王》：「穆穆文王。」異，按即《詩．大明》：「小心翼翼」之翼翼。翼，《爾雅．釋訓》：「恭也。」亦即【諸遺鐘】（春秋）：「畏忌趩趩」之趩。克，《爾雅．釋訓》：「能也。」悊，說文：「哲，或作悊。」久，林義光文源：以為厥字。厥，《爾雅．釋言》：「其也。」按【虢叔旅鐘】（西周較晚期）：「御于久辟。」【大克鼎】（西周中期）：「龔保久辟龔王。」即《書．無逸》：「不永念厥辟。」〈君奭〉：「用乂厥辟。」之厥辟也。說文作氒者，形譌。【大師小子師望鼎】（西周龔王時）：「穆穆克悊久德。」【番王毀】：「穆穆克悊久德。」【大克鼎】：「愍悊久德。」【虢叔旅鐘】：「穆穆秉元明德。」【井仁妄鐘】：（西周較晚期）：「穆穆秉德。」盨，即農，按此借為恭。【大克鼎】：「龔保久辟龔王。」按金文恭皆作龔，此及【趞曹鼎】之二「龔王」即共王，又作共（見善鼎）。【虢叔旅鐘】：「□（龔之殘文）御于天子。」㝵屯，于省吾以為即得（㝵）純，是也。按得从貝，从[illegible]（手）。【大克鼎】、【彔伯或毀】（西周晚期）等器拜字，手皆作[illegible]。【師旅鼎】得作𢔶，从又，即手；後世之作寸者，誤。手又作𠂀【井仁妄鐘】：「𧶼屯用魯」按《說文》：「𠂀，古文手。」（形少誤）屯，即【頌鼎】「屯右」（純祐）如【小克鼎】、「屯魯」（純魯）【善鼎】「共恭屯」之「屯」。阮芸台以純祐、純魯，即《詩》之「純嘏」〈賓之初筵〉、〈卷阿〉、〈載見〉、〈閟宮〉。按純嘏，亦即【克鍾】之「屯也段」。純，《方言》十三：「好也。」亡敃，亡、無通。敃，《說文》：「彊（疆）也。」【大克鼎】：「㝵屯亡敃。」【大師小子師望鼎】：「㝵屯亡敃。」【虢叔旅鐘】：

「尋屯亾敃。」【井仁妄鐘】：「賓屯用魯。」【毛公鼎】：「女母弗師用皇考作朋井。」【子田盤】（西周晚期）：「休亡敃。」肇，語詞。帥，即率，循也。井，即刑，金文皆如此作。刑，《詩》毛《傳》：「法也。」【番生毀】：「不敢弗帥井皇且、考，不杯元德。」【井仁妄鐘】：「䛇，不敢弗帥井用文考，穆穆秉德。」【虢叔旅鐘】：「旅敢攸（肇）帥井皇考威儀。」虔，《詩》毛《傳》：「敬也。」夙夕，早晚；隨時之意。【大盂鼎】（西周早期）：「虔夙夕惠我一人。」亦即【盂鼎】、【大克鼎】（西周中期）【䛗毀】，《詩．雨無正》之「朝夕。」【大克鼎】，【大師小子師望鼎】，《書．堯典》、《詩．采蘩》諸篇之「夙夜」，【豐姞毀】之「宿夜」也。辟，吳北江以為輔佐之意。【太師小子師望鼎】：「用辟于先王。」【大克鼎】：「永念久孫，辟天子。」【毛公鼎】：「克辟厥辟。」吳說是也。天字下，按應有重文「=」，細審原器無之，蓋范遺也。加，不識。

春汅囟身。邦君、大正，用天子寵，蔑汅囟曆。汅囟敢對天子不顯休◯，用亾朕皇……。以上鼓文。

與加事字連文。其意則謂天子將事加諸梁其身也。【士父鐘】（西周較晚期）：「用廣啟士父身。」【邾公牼鐘】（邾宣其公，春秋晚期）：「以樂其身。」【邾公華鐘】（邾悼公。同上）：「穆穆不墜于久身。」【綸鎛】（春秋晚期）：「綸保其身。」【徐王義楚耑】（義楚見《左》昭六年傳）：「永保𢠸身。」邦君，國君。屢見《書》〈大誥〉、〈酒誥〉諸篇，《詩．雨無正》，《論語．八佾》。

乍，按即正，《爾雅·釋詁》：「官長也。」大正，猶大師，大司工，大司馬，大司寇之稱大也。【弭仲簠】（薛書）：「用饗大正。」【大盂鼎】：「雩殷正百辟。」【毛公鼎】：「善效乃友正。」蔑曆，金文習見。按【大師小子師望鼎】：「多蔑曆錫休。」【𣪘鼎】（西周較早期）：「其父蔑𣪘曆。」又【免毁】（西周中期）：「免蔑靜女王休。」【效卣】（西周較早期）：「公錫厥涉子效王休貝廿朋。」是蔑曆可連言，亦可分言；又可言蔑某休（猶「錫休」可連言，亦可分言）。亦與錫休對言，是蔑曆與錫休語法正同。休，可解為美（《爾雅·釋詁》）。亦可引申為猶今言「好處。」之則蔑曆之意，亦猶是解。此謂邦君、大正，以天子對梁其之寵光，而亦贊梁其以嘉美也。敢，冒昧之意。對，答也。𩵦，即揚，奉揚也。金文習見之詞。如【大豐毁】：「每揚王休。」【盂鼎】：「盂用對王休。」【令鼎】（西周中期）：「對揚王休。」《詩·江漢》：「虎拜稽首，對揚王休。」《左》僖廿八年傳：「奉揚天子不顯休。」敢對天子不顯休揚，即如【大毁】（西周較晚期）：「敢對揚天子不顯休」也。【虢叔旅鐘】：「旅對天子魯休揚。」【克盨】（西周中期）：「敢對天子不顯魯休揚。」與此皆倒句。朕，《爾雅·釋詁》：「我也。」用乍朕某：器，金文習見之句。如【虢叔旅鐘】：「用乍朕皇考惠叔大薔龢鐘」是也。

《人文學報》第一期（一九七〇年九月），頁二一五—二一七

唐玄宗及宋真宗禪地祇玉冊跋

一、唐玄宗玉冊

右冊唐玄宗禪地祇文也。石質，共十五簡，每簡長二九．二至二九．八公分；廣三公分，厚一公分，橫貫一孔，連以銀繩。冊文隸書，每簡一行，每行九字，玄宗署名「隆基」二字楷書，小於他字之半。據此冊送達故宮博物院時所附〈唐玄宗．宋真宗禪地祇玉冊考記〉（下簡稱「考記」）云出土時「凡五簡為一排，三排疊藏於匣」，「字中所塗金泥。尚有少許留存。」又附有玉件。〈考記〉云：「唐代玉冊之匱」，出土時脫落。凡五段合成一件⧈平方形，中刻蟠龍，四邊西番蓮華文，並是凸雕。其六件通高公尺十四分七厘，橫廣十七分，有廣至十七分五厘。其中方塊直高約八分，橫廣約十分。此六件云是匱之前後二面，每面各二件，及兩頭各一件。又有二件，中雕蟠龍，四邊各雕雙鳳，通高十二分七厘，橫廣十七分，其中方塊，橫廣十分二厘，直高七分，云是頂蓋之面，各方塊四角，有一眼，其邊玉兩頭斜剖而成，兩頭有二眼；其外緣之中有一眼，每一邊玉共五眼□□，云是原有金釘，釘固於匱外。又有長方條玉，厚如方玉，一欵長十七分，一欵長十二分，每欵二件，云是匱蓋之邊緣。又有長方塊二件，直長八方二厘，橫廣五分，厚一分，上下各有二眼，中刻槽紋五道，則是纏金泥之玉檢。凡二件，比前玉條厚倍之。又有小玉條二欵，與此檢同長，一欵橫廣一分八厘，兩頭各有二孔。一種橫廣一分，兩頭無孔。每欵各二件，並比前玉條略薄。其發現之經過，〈考記〉云：「民國二十二年，北平晨報載開元封禪玉簡之發現。略云泰山之下，津浦路泰安車站以北，有一小山，曰蒿里山，山上有關王廟，廟前有一塔。十七年，山上之廟及塔均為軍火所摧毀，後在塔之原址，別築一紀念碑。先事掃除殘磚，於壇底發現五色土壇，四周青白赤黑，中為黃色。向下發掘，乃在各色土內。得玉器。又在中央黃土內，得白玉版十五，長約一尺，寬二寸，每版均刻隸字。讀之，即唐玄宗封禪文也」。又云：「初見土內累石縫邊，現出似是銀泥之物，因得宋冊。再次掘下，又獲唐冊」。

《舊唐書．玄宗本紀》稱開元十三年．十一月．辛卯（十一日）：「祀皇地祇於社首，藏玉冊於石䃭，如封禪之禮」。《新唐書．玄宗本紀》稱開元十三年．十一月．辛卯：「禪于社首。」《舊唐書．禮儀志》（以下簡稱「舊志」）云：「可以開元十三年．十一月．十日（丙寅），式遵故實，有事太山」。又云：「十三（四部叢刊本作『二』，誤。）年．十一月．丙戌，至泰山」、「辛卯，享皇地祇于社首之泰折壇，睿宗大聖貞皇帝配祀」、「藏玉策於石䃭，如封壇之儀」。《新唐書．禮樂志》（以下簡稱「新志」）云：「玄宗開元十三年．歲次乙丑．十一月辛巳朔．十一日辛卯」、「昭告于皇地祇」。以睿宗配，與《開元禮》及〈本紀〉、〈志〉文皆合，按之舊、新〈志〉，玄宗之封禪，從張說等議也。

《開元禮》（又見《通典》、《文獻通考》引）玄宗禪社首云：「禪禮制度，將祭，將作先於社首山禪所為禪祭壇如方丘之制，八角三成，每等高四尺，上濶十六步，設八陛，上等陛廣八尺，中等陛廣一丈，下等陛廣一丈二尺，為三重壝。量地之宣，四面開門，玉冊、石䃭、玉匱、金匱、金泥、檢距、圓封、立碑等，並如封祀之儀」。其玉冊等制，準之封禮，為玉牒長一尺三寸，廣五寸，厚五寸，刻牒為字，以金填之，用金匱盛。

又為玉冊，皆以金繩連編玉牒為之。每牒長一尺二寸，廣一寸二分，厚三分，刻玉填金為字。又為玉匱一，長一尺三寸，並檢方五寸。當纏繩處刻為五道，當封寶處刻深二分，方取容受寶印，以藏正座玉冊，制度如玉匱，又為黃金繩以纏玉匱金匱，又為石䃭以藏玉匱。用方石再累，各方五尺，厚一尺，縱鑿石中，廣深令容玉匱。䃭旁施檢處，皆刻深三寸三分，濶一尺，南北各二，東西各三，去隅皆五寸，纏繩處皆深刻三分，濶一寸五分，為石檢十枚，檢石䃭皆長三尺，闊一尺，厚七寸。皆刻為三道，廣一寸五分，深四寸。當封大小處取六小取容寶卻，深二寸七分，皆有小石蓋。制與封刻處相應，以檢擫封印，其檢立於䃭旁當刻處，又為金繩三以纏石䃭各五周，經三分，為石泥以封石䃭（自注：以石末和方土色）。為距石十二枚，皆濶二尺，厚一尺，長一丈。斜刻其首，令與䃭隅相應。分距䃭四隅，皆再累為五色土，圓封以封石䃭，上徑一丈二尺，下徑三丈九尺」。

其封玉冊也。《開元禮》云：「皇帝受玉冊，跪，內之玉匱，纏以金繩，封以金泥。侍中取受命寶，跪以進。皇帝取寶，以印玉匱。太尉奉玉匱，跪藏於石䃭內。執事者覆以石蓋，檢以石檢，纏以金纏，封以石泥，以玉寶遍印。（《舊唐書．禮儀志》謂玄宗封也：『以金泥䃭際，以天下同文之印封之。』又謂：『禪同封制。』則禪之封印應同。）引降復位，帥執事者以石距封固，又以五色土圜封，後續，令畢其功」。其配座玉牒封於金匱。「皆如封玉匱。太尉奉金匱，從降，俱復位。以金匱內太廟，藏於高祖堯皇帝之室」。此言封制。但《禮》云：「禮儀同。」其配位。《禮》云：「睿宗大聖真皇帝」、「取玉冊納金匱」。是禪禮與封異者，是壇制與配位耳。至歷代封禪之制，詳《史記》〈秦本紀〉、〈封禪書〉、《漢書．郊祀志》、《後漢書．光武本紀》、應劭《漢官儀》、司馬第《伯封禪儀》、《續漢書》、《唐開元禮》、《通典》、《冊府元龜》、舊、新《唐書．志》及《宋史》〈真宗本紀〉、〈禮志〉、《文獻通考》。

今先以冊制言之。《開元禮》言：「量文多少為之」。是簡多少無定制。簡長一尺二寸，廣一寸二分，厚三分。按《大唐六典》「中尚署令」注云：「每年二月二日進鏤牙尺」。吳興蔣穀孫先生藏唐鏤牙尺（見王國維《觀堂集林》十九〈王復齋鐘鼎欵識中晉前尺跋〉）。合三〇．〇二公分弱。王先生以為即《唐六典》「中尚署令」注所云「進鏤牙尺」

之尺。開元以前之物，則鏤牙尺，當為唐時之官尺矣。今簡以志合公尺計之，為二・九二公分，或二・九八公分，簡長短少異。然此册之簡，每簡尺度亦少有出入，則其制之尺度，固無太大之準則也，其寬一寸二分，合三・六〇二四公分，厚三分合〇・三三公分，其字填金，與〈志〉亦合。至册文，自秦始皇、漢武帝封禪，其文皆封藏秘之（見《史記・封禪書》及《漢書》〈武帝紀〉、〈郊祀志〉）。《舊唐志》言，玄宗問賀知章曰：「玉牒之文，前代帝王何故秘之？」知累世秘藏，故其文難觀。玄宗以「朕此行為蒼生祈福，更無秘，請將玉牒出示百姓，使知朕意」。故玄宗封册之文，載於舊〈志〉，然禪册之文，史籍仍闕。今禪文得此册，正可補史之闕文。隆基二字為答署之式，按之開元禮制度「用金匱盛」下注文：「其玉牒文，中書門下進取進止所由承旨，請內鐫其名檢等」。是帝名由內鐫之，雖非必帝自署，亦必由「內翰」之臣代之也。開元禮之禪社首以睿宗配，亦與此册相符。此册簡有銅銹，此盛於金屬之匱，然以〈志〉考之，禪册與封册同應盛於玉匱。今此册之匱，外皆以玉鑲之，知所謂玉匱者，飾以玉，非以金玉為匱也。其匱之形，已見〈考記〉，禮言封以五色之土，與發現時亦合。又按《宋史・志・禮七》云：「初，太平興國中，有得唐玄宗社首玉册、蒼璧，至是令瘞於舊所」。今唐禪册出，土正在宋真宗禪册之上，與《宋史》亦合。則今發現之處，乃唐玄宗禪壇故址也。惟傳說及天津晨報，皆言册出蒿里以史證之，乃傳聞之誤，蓋社首、蒿里二山相連（《泰安縣志》云相距一里）。故有此誤傳也。禪高里（高里及蒿里，見《漢書・武帝本紀》注）者，為漢武帝（見《史記・封禪書》及《漢書・武帝紀》）。唐玄宗乃禪於社首也，唐代封禪之典，多本光武之制，可參《後漢書》〈郊祀志〉、〈光武本紀〉，此不詳述。

按封禪之制，蓋自秦始皇廿八年封泰山禪梁父始（《史記・始皇本紀》）。其禪也，「禮祠地主」也（《史記・封禪書》）。禪本作墠，《說文》「禪」段《注》云：「凡封土為壇，除地為墠。古封禪字，蓋祇作墠。項威曰：『除地為墠』。後改墠為禪，神之矣。服虔曰：『封者增天之高歸功於天』。禪者廣土地，應劭亦云：『封為增高，禪為祀地』。惟張晏云：『天高不可及，於泰山上立封』。又禪而祭之冀近神靈也」。

故後世之禪，多於泰山附近小山行之。禪社首，唐高宗、玄宗、宋真宗也。（見《開元禮》、《通典》、《冊府元龜》、舊、新《唐書》〈玄宗本紀〉、〈禮儀志〉、〈禮樂志〉、《宋史》〈真宗本紀〉、〈禮志〉、《文獻通考》。）

二、宋真宗玉冊

右冊宋真宗禪地祇文也，民國十七年，與唐玄宗禪地祇玉冊同發現於山東之社首。凡十六簡，長方條，六面平正，色白，質透明，若今時之伊犂白玉。各簡長度微有不齊，長可公尺二十九分五厘至二十九分八厘，廣二分八厘，厚七厘至七厘有半。上下橫貫一孔，連以金線粗繩，繩滿其孔，金線之大，約當公尺一厘。以四簡為一排，四排疊藏於匣中，每簡刻正書一行，凡十六字。字如簡大，惟臣字及真宗名押，小約四分之一。其字係以界鉈刻成，填以金泥。按《宋史．禮志七》云：「真宗大中祥符元年十月」、「壬子。禪祭皇地祇於杜首山」。與冊文言「惟大中祥符元年，歲次戊申，十月戊子朔，二十五日壬子。嗣天臣恆，敢昭告于皇地祇」者合。又按〈宋志〉云：「社首壇，八角三成，每等高四尺，上濶十六步，八陛，上等廣八尺，中等廣一丈，下等廣一丈二尺，三壝四門，如方丘制。又為瘞埳於壬地外壝之內，以玉為五牒。牒各長尺二寸，廣五寸，厚一寸，刻字而填以金，聯以金繩，緘以玉匱，置石𥓓中。（自注：金脆難用。以金塗繩代之。）正坐，配坐用玉冊六副，每簡長一尺二寸。檢長如匱，厚二寸，濶五寸，纏金繩五周，當纏繩處，刻為五道，而封以金泥。（自注：泥和金粉乳香為之。）印以受命寶封匱。當寶處刻深二分，用石𥓓藏之。其用石再累，各方五尺，厚一尺。鑿中廣深令容玉匱，䃭旁施檢處，濶一尺，南北各三，東西各二，去隅皆七寸，纏繩處皆刻之道，廣寸五分，深三分，為石檢十。以擫䃭，皆長三尺，闊一尺，厚七寸，刻三道，廣深如纏繩。其當封處，刻深二寸，取足容寶，皆有小石蓋，與刻封相應。其檢立䃭旁，當刻處又為金繩三以纏䃭，皆五周，徑三分，的石泥封䃭。（自注：泥用石末和方色土為之。）用金鑄寶，曰：『天下同文』，如御前寶，以封䃭際，距石十二分，距四隅皆闊二小，厚一尺，長一丈，斜刻其道，與䃭隅相應，皆再累，為五色土圜封䃭上，僅一丈二尺，下徑三丈九尺，命直史館劉鍇，內侍張承素領徒封圜臺石䃭，直集賢院宋臯，內侍郝昭封信社首石䃭」。

〈宋志〉冊文，有與玉冊文異者。〈宋志〉「犧齊」作「犧牲」，玉冊「齊」字可證其誤。又「穹昊降鑒」〈宋志〉「鑒」作「祥」，「皇伯考太祖啓運立極英武聖文神德立玄大孝皇帝，皇考太宗至仁應道神功聖德文武大明廣孝皇帝」。〈宋志〉自「啓運」至「大孝」十四字。又自「至仁」至「廣孝」十四字並闕。考〈太祖本紀〉，太祖尊號有此十四字。惟「聖文神德玄功」作「睿文神德聖功」。〈太宗本紀〉，太宗尊號作「神功聘德文武皇帝」，仍缺「至仁應道」、「大明廣孝」八字。此皆可證或補正史之闕誤。

唐宋兩冊，舊皆藏馬鴻逵將軍所。民國六十年十月三十一日，由馬夫人劉慕俠女士獻為總統壽。復蒙　總統頒藏國立故宮博物院。

中華民國六十一年元旦　孔德成敬撰並書

圖書以外的我國古史資料之一——金文

什麼叫做「金文」？金文就是我國自殷盤庚（西元前一四〇一年）以後，降及周之世，下及秦漢（我們現在所講的，只限於先秦），有種習俗，就是把他們一國一家的大事，個人的功勳，或將作器的原因，鑄或刻到青銅所鑄的器物上，這種文字就是「金文」。也稱作「銘文」，宋人叫它作「款識」。《史記．封禪書》、《漢書．郊祀志》皆言「款識」。師古曰：「款，刻也；識，記也。」

青銅器的創製，始自何時，現在已經不能詳細的知道。不過據現在田野考古的啟示，現存殷代青銅器始自仲丁（西元前一五六二——一五五〇年）鄭州期，此期的器物已經是非常的精美，這決不是短暫的時間，可以一蹴而就的，一定得有很長的歷史和文化的背景，才能進步到這個地步。古書上也曾有過記載。如《管子．五行篇》：

昔黃帝以其緩急作五聲，以政五鐘。

《呂氏春秋．古樂篇》：

黃帝又命伶倫與榮將，鑄十二鐘，以和五音。

《史記．封禪書》：

黃帝作寶鼎三，象天、地、人也。

這三處都是說青銅之作，始自黃帝。卻都是遐邈難稽，不能令人相信的。

此外，《左傳》宣公三年，王孫滿對楚子問鼎之大小說：

昔夏之方有德也，遠方圖物，貢金九牧，鑄鼎象物，百物而為之備，使民知神姦。……桀有昏德，鼎遷於商，載祀六百。商紂暴虐，鼎遷于周。……。

《墨子·耕柱篇》也說：

> 昔者夏后開使蜚廉折金于山川，而陶鑄之於昆吾……鼎成，三足而方……。

這是說夏代已有青銅器的鑄造。在宋人的金文書裡，也列有夏器（如薛氏《鐘鼎彝器款識》）。但是我們現在看起來，沒法子指出那一件是夏器，所以在沒有證據以前，只好將殷代中葉以前這一段，付之闕如了。

流傳的古器物，現在可以看到的，有食器、酒器、水器、樂器、兵器等。食器有鼎、鬲、甗、簋、簠、盨、豆等。酒器有爵、角、斝、觚、觶尊、罍、壺、卣、盉、瓶等。水器有匜、盤、監、盆等。樂器有鐸、鉦、鐘等。不過這些都不是平常的器物，是稱為彝器、重器、寶器的，所以在《左傳》裡，有封國而頒賜彝器的事，如昭公十五年傳，晉籍談對周王說：

> 諸侯之封也，皆受明器於王室，以鎮撫其社稷，故能薦彝器於王。

又常有用以贈人、賂人、宴客，或伐人之國而取其器物之事；如《左傳》莊公廿一年，記王以后之「鞶鑑」予鄭伯，以爵予虢公；昭公九年傳，記晉侯以莒之二方鼎賜鄭子產；如桓公二年傳，記宋以郜之大鼎賂桓公；如昭公十五年傳，記周王以魯壺宴晉文伯；如莊公二十年傳，記周文王及鄭伯入成周，取其寶器；襄公十二年傳，記魯季武子入鄆，取其鐘以為盤。《孟子·梁惠王篇下》說滅人之國，「遷其重器」。這些皆是指現今我們所看到的彝器而言。可見這些東西，在當時已經是寶物了。

這些彝器上的銘文——金文，對於古代的歷史，和古代的習俗，關係甚大。所以我們研究古代文化史，這是必須加以研究的，比方宗周鐘等，記著周王南征的事；【矢令尊】、【彝】等，記著周朝的官制；【兮甲盤】、【曾伯霥簠】等，記著伐南淮夷、淮夷的事；【虢季子白盤】，【不嬰簋】等記著伐玁狁的事；【盂鼎】、【毛公鼎】、【頌鼎】、【戌嗣鼎】等，記著天子誥命之辭、冊命之典或賚賜之制。如【司母戊鼎】、【大豐𣪕】等，記載祀先之禮；【散氏盤】記著散矢分田、息壤的盟約。這有的是關係古代的歷史，有的關係古代的政治和典禮的制度，有的是關係文學的體例。

其記作器原因的，如【伯作寶簋】、【楚公鐘】、【越王劍】等，皆是記其自作的；【䚄作父戊卣】，是記為其父作的；【作祖戊簋】，是記其為祖父作的；【田告方鼎】、【北子簋】是記其為母作的；【季鼎】是記其為兄作的；【倗仲鼎】，【魯伯愈父鬲】，是記為媵女作的；【伯宛父鼎】，【先獸鼎】，【簷太史鼎】，是為宴客而作的；【紀侯貉子簋】，是為分寶而作的；【楚王酓忎鼎】，【過伯簋】，【師寰簋】，是為戰勝俘獲而作的；【鄀公平侯鎰】，【師趛鼎】是為祭祀祖父或父母而作的；【師器父鼎】，是為「用享考于宗室」而作的。在這些銘文上，可以看出古代的習俗以及其作器的用意。

以上這兩項，都與古史有密切的關係，而且所記載的，都是原始的史料。在史闕有間的幾千年後的今天，我們去研究我國的古史，金文實在是最具有價值的直接史料。它的價值比起經過後人多少次翻譯，改竄過的「經」來，不曉得要高多少倍呢！

彝器雖為用、祭而作，但是古重厚葬，所以彝器也就成了殉葬的物品，《墨子．節葬篇下》：

> 乎諸侯死者，虛車府，然後金玉珠璣比乎身，綸組節約，車馬藏乎壙，又必多為屋幕、鼎、鼓、几、梴、壺、濫、戈、劍、羽、旄、齒革，寢而埋之。（又一節略同，不俱引）

《呂氏春秋．節喪篇》：

> 國彌大，家彌富，葬彌厚，含珠鱗施。夫玩好貨寶、鐘、鼎、壺、濫、轝馬、衣被、戈、劍，不可勝其數。諸養生之具，無不從者。題湊之室，棺槨數襲，積石積炭，以

環其外。

這些厚葬殉葬的東西，有時就為人盜掘出來，《呂氏春秋．安死篇》：

今有人於此，為石銘置之壟上，曰：此其中之物，具珠玉玩好財物寶器甚多，不可不扣，扣之必大富，世世乘車食肉。

這記載有意的盜掘，此外還有無意的古墓發現。這都是因為厚葬的習俗，給我們遺留下了珍貴的東西。因為古器物十之八九是出自古墓的。

古器物之出土，自從漢代就有記載，如漢武帝元鼎元年五月五日，得鼎於汾上；四年六月，得鼎后土祠旁（《漢書．武帝紀》）。後漢明帝永平六年二月，王雒山出寶鼎（《後漢書．明帝紀》）。不過當時並沒有賦予它以學術的評價，只以為是一種祥瑞而已。

漢梁孝王藏尊罍值千金（《漢書．梁孝王傳》），梁劉之遴亦藏器數十百種（《梁書》本傳）；這也不過只是收藏而已。

將它用到學術上來，最早要算漢許慎和晉王肅了。許慎因為山川出鼎彝，知其銘文為前代古文，以之正俗儒之陋。這是把金文用到文字學上的第一次。王肅以魏太和中魯郡所出【犧尊】，以正鄭玄「刻鳳凰於尊」為犧尊之說。（詳見《魯頌．閟宮正義》）。這是用到古器物學的第一次。

至於廣事搜羅，使其在學術上別為一科，還是到了宋朝才建立起來的。宋代的學者，這個創作，真是在我國歷史上創下了萬世不可磨滅的光輝。這在對於古史上、文字學上、古器物學上，開闢了一個新的園地；呂大臨的《考古圖》，給我們後世研究這門學問的人，留下了最合乎科學的方法。到了清朝，這門學問可算鼎盛。程瑤田、吳大澂、孫詒讓、王國維諸氏，更能大量的精確的運用，解決了許多的古史的問題。民國以來，研究這門學問的更多，貢獻也更大了。中央研究院歷史語言研究所的殷墟發掘，更進一步的把考古學在中國樹立起來。我們所要研究的金文，也因之得到科學的依據。

以上，我已經把金文的本身在學術上的重要，及青銅器的源流，略為說了一說。現在我想再說一說我們治金文的途徑及應有的態度。

第一、我先說比較的研究：

我們既然知道金文在史料上的價值，我們就不能不與金文同時的器物（如商器與甲骨文，與其他刻辭及白陶等）及文獻上的史料（如【毛公鼎】之與《尚書·文侯之命》；【虢季子白盤】之與《詩·小雅·六月》之篇；如【曾伯霥簠】之與《大雅·江漢》之詩），作一比較的工夫，以建立其在史學的，語文學的，文字學的價值。若想達到這一點，就不能不希冀樹立時代的、地域的準則。固然，金文是直接的史料，圖書文獻是間接的史料，在價值上，當然是有天淵之別的。可是金文遺留到現在的，數量不算太多，尤其在某一人或敘述某一事的時候，洋洋大篇的實在太少（其他的器物也有這種情形。像甲骨文，也只記占卜之事）。在這種情形下，我們只有乞靈於間接的史料上去。文獻的史料，雖然因為翻譯，傳寫而有錯誤的地方，但是終究它的材料多，方面廣，可靠的也在不少，若能以金文與之比較研究，則合之兩美，相得益彰了。

其次，我們應當在金文的本身建立其標準：

金文本身，最應當注意二點：就是要知道它在年代上的位置和在地域上的差異。年代以立史學的骨幹；地域以觀文化的交流。根據金文本身的記載，關於第二個問題，是很容易的解決的，因為許多的器物，本銘就寫著它的國名，如【魯侯爵】、【齊太宰逘文盤】等即是（不過西周多出於王朝貴胄，故冠國名者少。春秋以後，則出於列國公室及陪臣，故冠國名者多。）關於第一點，是比較麻煩的，因為銘文本身，多不記某王（稱周王號的只有【獻侯鼎】、【遹簋】、【長由盉】、【匡卣】、【趙曹鼎】二，【宗周鐘】等器而已），或某國君名（如【陳侯因資錞】，【陳侯午錞】，【鄀公華鐘】等），或於史可徵的人名（如【虢仲盨】之虢仲，【國差鑰】之國差），此外可以據而確定年代的材料太少，那只有求之於款識的、字體的、文體的、稱謂的、器制的、器形的、花紋的比較，用這一些材料，歸納起來，方可得到一點關於金文年代上的知識，現在列舉數點以明之：

一、款識：凡亞形，或只作圖騰，或一字，或只作父某，或不言作者名者多為商器，而字多者少，周則字多者多，字少者較少；商周多鑄款，戰國多刻款；商、周、春秋款多在內，戰國後，則類在外部。

二、字體：商代可分雄壯（如【司母戊鼎】，【亼宦父戊方彝】）、秀麗（【戊辰彝】）兩派，然首尾多較銳，有甲骨意。周初仍承舊習（前如【盂鼎】，後如【沈子簋蓋】），西周中期後期，則筆劃停勻（如【遹毀】、【毛公鼎】、【頌鼎】等）；細長之體，在春秋戰國時，盛行於齊（如【綸鎛】）、楚（【邵王毀】）、許（【許子鐘】）、徐（【郤王義楚耑】）諸國。鳥書始見于商（只有一件：【玄婦罍】），但盛行於戰國時越國（如【越王戈】、【劍】）。

三、文體：

(1)商人紀年，先日後月後年（如【戍嗣鼎】，【庚申父丁爵】，【艅尊】等。）周初紀年，甚或西周中葉早期，仍有在後者（如【盂鼎】，【吳彝蓋】）。稍後則先年，後月，後日矣（如【頌鼎】）。（馬衡說）

(2)「子子孫孫永寶用」，始見西周中葉（如【遹簋】）。在其初見時，子孫亦不重文（如【厚趠鼎】，【宅簋】）。（容庚說）

(3)西周前期，所記之事廣，後期多為錫命而作。（容庚說）

四、稱謂：商人稱亡父曰父，周初仍稱之，然亦有「考」稱（如【大豐】）。（容庚說）

五、器物：如簠於起西周後期。盨（可能為簋之異形，如【華季盨】等）起於西周後期，至春秋戰國又不見。鐘起於西周中期。（長由墓出之鐘，穆王時器）。

六、器形：如方鼎，乃商後期，西周早期器。如爵，商早期為平底，商晚或周初為圓底。

七、花紋：如饕餮紋通行於商及西周初期，龜紋只行於商代。獵紋行於春秋戰國。

以上不過大略的舉出幾點來，讓大家明白這些都是幫助我們樹立金文的年代的最重要的材料，和最好的方法。

最後，我提出兩點：

一、多看實物，養成「鑑別」的能力，有這眼光，才能運用史料以治史、以識史，才不至將後代偽造之物當作重器，也不至於以商周之遺文，視同廢物。如以梅賾之偽文，視同安國之真傳，以殷人之辭刻，誣為劉歆之偽造。這豈不貽笑大方，見哂學林麼？

二、多讀有關的書籍，除文獻上有關的書籍外，有關金文的書籍，更須多讀。

拉雜寫此，敬供諸君之教正。

《中國圖書館學會會報》第二十五期（一九七三年十二月），頁一—三。

論儒家之禮

禮在儒家思想中，佔有極重要的地位，自孔子時就是如此。內而個人之修養，外而使社會人群，各得其安定之分，這都是禮之份內的事。所以儒家的禮，包括著律己處人的規範、社會的秩序、政治的制度。現在我們分別來談談。

一、儒者對於禮之普通原理理論及其功用

孔子是一個重視禮的人，不過沒有提出正式的普通理論來。到了最注重禮的荀子，才提出禮的普通的理論根據來。《荀子．禮論篇》論禮之起源說：

禮起於何也？曰：人生而有欲；欲而不得，則不能無求；求而無度量分界，則不能無爭；爭則亂，亂則窮。先王惡其亂，故制禮義以分之，以養人之欲，紛人之求，使欲必不窮乎物，物必不屈於欲，兩者相持而長，是禮之所起也。

《荀子》這段話，是說明禮的起源的原因，根據人的心理，用「定分」來節制人的欲望的，以免人與人之衝突，人與物之屈窮。這個理論在《禮記．禮運篇》裡也有說過：

飲食男女，人之大欲存焉。死亡貧苦，人之大惡存焉。故欲惡者，心之大端也。人藏其心，不可測度也。美惡皆在其心，不見其色也。欲一一窮之，全禮何以哉？

這是說明人的心理的好惡，美惡，是不可測度的。故須用件事物來作標準的衡量，才可以窮究人心之莫測高深的演變，這個標準，就是禮。也就是說，樹起這個禮的規範，才可以將人心歸納到一個範疇裡來。至於像〈禮運〉、〈樂記〉等篇，更將禮的起源，根據的理論，本於天地四時。在抽象的觀念上，有他玄妙的道理，不過就與原始的禮的理論來說，是應當有

相當的差別了。

我們再說禮的用途，除如上引《荀子》所說防人與人之衝突外，是進一步的調和一己自身諸情欲的衝突。以一方面「節」人知情，「文」人知情，而使他得到「時」、「中」。《論語．學而篇》上有若說：

禮之用，和為貴，先王之道，斯為美，小大由之。有所不行，知合而合，不以禮節之，亦不可行也。

《孟子》也說到節文二者，〈離婁上〉：

仁之實，事親是也。義之實，從兄是也。禮之實，節文斯二者。

有若和孟子，都是主張禮在人情方面有其節、文功用的。什麼叫作節？就是一件事情，作的不要太過，也不要不及，得其中道，就叫作節。《禮記．仲尼燕居篇》記載後人轉載孔子的話說：

仲尼燕居，子張、子貢、言游侍。……子曰：「師爾過，而商也不及。子產猶眾人之母也，能食之、不能教也。」子貢越席而對曰：「敢問將何以為此中者也？」子曰：「禮乎禮！夫禮者，所以制中也。」

這裡所說禮以制中，就是用禮來作人情之節制，不使其過，不使其不及。《禮記．檀弓篇》裡也說：

曾子謂子思曰：「伋，吾執親之喪也，水漿不入於口者七日。」子思曰：「先王之制禮也，過之者俯而就之；不至焉者，企而及之。故君子之執親之喪也，水漿不入於口者三日，杖而後能起。」

又一段說：

子夏既除喪而見，予之琴，和之而不和，彈之而不成聲，作而曰：「哀未忘也，先王制禮，而弗敢過也。」子張既除喪而見，予之秦，和之而和，彈之而成聲，作而曰：

「先王制禮，不敢不至焉。」

這一節更可以說明了「過之者，俯而就之」「不至焉者，企而及之」，這一種心情的描寫，也可以看出孔門弟子們之禮為調和一己自身之衝突的工具。「文」就是禮的外在的一種文飾，禮本來是外在的儀節，沒有「文」，怎麼能表達出來？所以《論語．雍也》，孔子說：

質勝文則野，文勝質則史（史掌文書，多聞習事，誠或不足。）文質彬彬，然後君子。

如祭之器、服、喪之服、期，這都是文。沒有這些文，是沒有法子表達內心的情感來的。《荀子．天論篇》也說：

君子以為文，小人以為神。

至於時呢？是說吾人既知禮的原理，則其具體的禮，是可以因時而變動，不必墨守成法，只要不違背了禮的原則就可以的。《禮記．禮運篇》上說：

故聖王脩義之柄，禮之序，以治人情。故人情者，聖王之田也。脩禮以耕之，陳義以種之，講學以耨之，本仁以聚之，播樂以安之。故禮也者。義之實也，協諸義而協，則禮雖先王未之有，可以義起也。（柄、情乃受法家之影響者）

這是挪人情比作田地，禮比作耕地。田都是土的，耕就得要看田的情形，定其耕耨的辦法。這個辦法，就是義。義者，宜也。那麼，什麼叫作合宜呢？那是因時間空間而定的，所以古禮所無，只要合乎義，就可以來一番創作。儒者並引述古代的史實，以作這個理論的依據，《禮記．禮器篇》上說：

禮，時為大……。……堯授舜舜授禹，湯放桀武王伐紂，時也。

〈樂記篇〉上也說：

五帝殊時，不相沼樂；三王異世，不相襲禮。

又如上引〈檀弓〉上記載孔子的話，這都是說明禮之時義關係重大。

二、禮之關於律己處人之道，及其在孔門中為教育工具之一

《論語・泰伯篇》孔子說一個人的學養是：

興於詩，立於禮，成於樂。

這是說一個人，能率然自立，而不為事物所搖奪，必須有禮的修養和工夫。《論語・衛靈公篇》，孔子又說：

君子義以為質，禮以行之。

這是說君子用義以為本質，用禮來推動他覺得合乎義的那些事情，〈泰伯篇〉孔子又說：

恭而無禮則勞，慎而無禮則葸，勇而無禮則亂，直而無禮則絞。

這世說公、慎、勇、直這四種行為，雖都是美德，可是若果不用禮來作他的規範，以為「節」，以為「文」；則必有勞、葸（畏懼貌，不敢進也）、亂、絞（急切也）的毛病，也就失去了這四種他原有的美德了。

由上我們知道，禮本來就有注意社會的規範，對於個人制裁的趨勢；儒家中《荀子》最注重禮，更擴大了禮的範圍，凡先王之遺訓，後王之明教，人事之條理，事節之平正，皆謂之禮（見〈修身〉，〈正名〉，〈禮論〉諸篇，《禮記》諸篇亦是如此。）並且把法也加入禮中了。〈勸學〉：「禮者、法之大分，類之綱紀也。」〈修身〉：「故學也者，學法也。」又云：「故非禮是無法也。」這種介說禮字，在儒家全為新說矣。

因為禮與一個人的修養、品德，既如上述，那自然就不能不成為以教育為重的孔門的教育工具了。所以孔子教導孔伯魚有兩件事，一件就是：

曰：「學禮乎？」曰：「未也。」曰：「不學禮，無以立。」鯉退而學禮。（〈季氏篇〉）

立，就是學作人處世之道，可以站在社會上，人群裡，立定腳跟，否則是站不住的。因為品節詳明，德性才可以堅定。孔子教顏淵，也是說到禮：

顏淵問仁：子曰：「克己復禮，為仁。一日克己復禮，天下歸仁焉。為仁由己，而由人乎哉？」「請問其目。」曰：「非禮勿視，非禮勿聽，非禮勿言，非禮勿動。」（《論語．顏淵》）

這是孔子教誨他的最得意弟子顏淵，教他注意的事項，和要作的工夫。這是什麼呢？就是「克己復禮」。克己就是一個人能克制自己，不為外物所引誘，而不可任行為所欲為。復禮，就是人群原來應當率循而行的一切規範。禮失去了，趕快把他再恢復起來。所以能夠達到「克己復禮」這步境地，就得要有「非禮勿視，非禮勿聽，非禮勿言，非禮勿動」這四種的工夫。視、聽、言、動都合乎禮，也就算是仁道了。

《論語．鄉黨篇》裡，可以看出孔子一舉一動，都是以禮自範的。荀子教學也是以禮為重，〈勸學篇〉說：

其學惡乎始？惡乎終？曰：「其學則始乎誦經，終乎讀禮。」

由上我們知道，孔子、荀子皆是注重以禮為教的。孟子因為是性善主義，內本論者（「萬物皆備於我矣」）。所以在這一個思想的邏輯的系統之下，是不太注重外在的禮教的。所以孟子也就不太說禮。在儒家周禮上，以六藝教人，仍以禮列為第一。這可以說是，仍襲孔門之舊規的。

三、禮之關於政治及制度者

儒家在這一方面，是主張大體從周禮的。如〈八佾篇〉孔子說：

子曰：「周監於二代，郁郁（文盛貌）乎文哉！吾從周。」

不過有時也是兼采四代。如〈衛靈公篇〉：

行夏之時，乘殷之輅，服周之冕，樂則舞韶。

在這幾句話裡，說明了孔子對先代的政治制度的取舍。所以後來儒者之有主張法先王的，也有主張法後王的不同的說法了。不過孔子雖是或從夏、或從殷、或從周，但是對於當時——春秋的時候，所改變的一套，多半是不贊同的，不過如果他認為合宜的，也可以遵從。否則，則不從之，仍然是遵守舊典的。如《論語．子罕篇》上孔子說：

麻冕禮也，今也純儉，吾從眾；拜下禮也，今拜乎上泰也，雖違眾，吾從下。

這也可以看出孔子的主張是以「義」為準。至於個別的政治制度，如覲、聘之禮（《儀禮》有專篇）官制之設（《周禮》），此處不能詳舉矣。

四、禮與社會方面者

我們知道儒家是注重倫理道德的，而且是固有的家族制度的維護者。道德本來只是種抽象的觀念，如果想把他見諸實施，必須有一種組織在社會上，作為依據，這才能把他樹立起來。儒家的倫理道德之施行社會，為社會樹立一秩序者，其組織即基於家族社會中的「宗法」是也。

什麼叫作宗法呢？宗法就是家族社會中，子孫繼承的一個法則。父死子繼，傳長傳嫡的一個繼承法。這個法，本是中國舊有的，並不是創自儒家。不過儒家承襲了他，更加以細密的組織罷了。如《詩經．大雅．板》：「大宗維翰，宗子維城。」又如《左傳》僖公五年，晉士蔿諫晉獻公「君其修德，而固宗子。」在金文上也有「大宗」「宗婦」之稱。可見「宗法」其制亦竟很久了。不過在《詩經》上、《左傳》上、金文上都未有對於宗法制度的一個詳細的說明。現在最詳細的是在儒家經典的小戴《禮記》裡邊有兩段記載，這是我們今天能看到的比較最詳盡的關於宗法制度的史料。

一、〈喪服小記〉：

別子為祖，繼別為宗，繼禰者為小宗；有五世而遷之宗，其繼高祖者也。

二、〈大傳〉：

別子為祖，繼別為宗，繼禰者為小宗。有百世不遷之宗，有五世則遷之宗。百世不遷者，別子之後也。宗其繼別子之所自出者，百世不遷者也。宗其繼高祖者，五世則遷者也。尊祖故敬宗，敬宗，尊祖之義也。有小宗而無大宗者，有大宗而無小宗者，有無宗亦莫之宗者，公子是也。公子之公，為其士大夫之庶者，宗其士大夫之適者，公子之宗道也。（注意：「別子」鄭玄以為諸侯之別子）（諸侯無氏）。

這種詳細的分別，是否合乎傳統的宗法，是否合乎孔子所主張的傳嫡（〈檀弓〉）之制，當然不敢說的。不過儒家的宗法之所以成為他的社會組織，這兩段確是他精義之所在。再就喪服的制度，用斬、齊、大功、小功、緦這五服，把上、下、旁所有的屬親，都組織成一個親屬網。《儀禮．喪服篇》記載的非常詳細，《禮記》也多有專論。

五、儒家關於喪禮之主張及賦予之理論

喪禮，當然是儒家最注意的。上面一節已經說過，這裡只說說他的觀念和理論。《論語．陽貨篇》記孔子答宰我說：

子生三年，然後免於父母之懷。夫三年之喪，天下之通喪也。予也，亦有三年之愛於其父母乎？

《荀子．禮論篇》上也說：

凡生天地之間者，有血氣之屬心有知；有知之屬莫不知愛其類。今夫大鳥獸，則失喪其群匹，越月踰時焉，則必反巡過其鄉，翔迴焉，鳴號焉、躑躅焉，然後乃能去之。小者至於燕雀，猶有啁噍之頃焉，然後乃能去之。故有血氣之屬，莫知於人。故人於親也，至死無窮。將由夫患邪淫之人與，則彼朝死而夕忘之。然而從之，則是曾禽獸之不若也。夫焉能相與群居而無亂乎？將由夫修飾之君子與？則三年之喪，二十五月而畢，若駟之過隙。然而遂之，則是無窮也。故先王為之立中制節，壹使足以成文理，則釋之矣。

儒者對於死者，既然持如此的觀念，那麼應當取一個什麼態度呢？《禮記．檀弓》引孔子的話說：

之死而致死之，不仁而不可為也；之死而致生之，不知而不可為也。是故竹不成用，瓦不成味，木不成斲，琴瑟張而不平，竽笙備而不和，有鐘磬而無簨虡。其曰明器，神明之也。

荀子說：

禮者，謹於治生死者也。生，人之始也；死，人之終也。終始俱善，人道畢矣。故君子敬始而慎終，終始如一，是君子之道，禮義之文也。夫厚其生而薄其死，是敬其有知而慢其無知也。……故死之為道也，一而不可得再復也。臣之所以致重其君，子之所以致重其親，於是盡矣。……喪禮者，以生者飾死者也，大象其生以送其死也，故事死如生，事亡如存，（據郝懿行校）始終一也。（〈禮論篇〉）

這也是基於情感、道德，功能以立論者也。也是沒有什麼迷信的意味的。

六、儒家關於祭祀之所賦予之理論

因為祭、喪，在儒家中，是很重要的，所以特別提出一說。祭，是祭祀祖先和百神；喪，是父母諸親屬，死後的一種儀節和制度。儒家在這方面，也是承襲「固有文明」，不過都賦予他們新的理論。先說孔子的態度：《論語．八佾篇》孔子說：

> 祭如在，祭神如神在。

又說：

> 吾不與祭，如不祭。

由上邊兩句話，可以知道孔子對於鬼神是處於半信半疑的態度的，所以祭時則覺神在，不祭時，則無神矣。因此孔子答子路鬼神生死之間說：

> 未能事人，焉能事鬼？……未知生，焉知死？（〈先進篇〉）

又說：

> 務民之義，敬鬼神而遠之，可謂知矣。（〈雍也篇〉）

孔子以人們還不懂得事人的道理，何能知道事奉鬼呢？人對於如何生存於宇宙之間，還不明白；那裡還曉得死了以後，又是怎麼著呢？孔子雖不以鬼神為真有，然既不說其果無，所以仍然以「敬」的態度來事鬼神。《論語．子張篇》：

> 子曰：「祭思敬。」

不過，如果敬鬼神，而就真的限於鬼神迷信之中，那就叫不知（智）。孔子一方面以為不智，一方面仍存敬心，所以我們說孔子對鬼神是半信半疑的。孔子既是如此，所以他的弟子曾參對於祭禮說：

慎終追遠，民德歸厚矣。（〈學而篇〉）

《荀子》也說：

雩而雨，何也？猶不雩而雨也。日月食而救之，天旱而雩，卜筮然後決大事，非以為求得也，以文之也。故君子以為文，而百姓以為神。以為文則吉，以為神則凶也。（〈天論篇〉）

《禮記．檀弓》上說：

惟祭祀之禮，主人自盡焉耳，豈知神之所饗？

舉出這幾條，最足以代表儒家對於鬼神的態度。曾子所注意者，在「民德歸厚」之效果；荀子注意其行禮時之文；〈檀弓〉上所注意的，在感情之自盡，都沒有迷信的意味。

七、儒家之禮的基本精神

我們在上邊，已經把禮所包括的各方面，大略的說了一說。我想在此處，提出儒家對於禮的基本觀念和態度。根據論語上，把孔子的基本觀念和態度，歸納出幾點來：第一是仁。《論語．八佾篇》：

子曰：「人而不仁如禮何？」（注意：仁為人之全德，包括甚廣，此不能詳論。）

這是說人如果沒有仁德，則禮不為其用也。第二是讓。《論語．里仁篇》：

子曰：「能以禮讓為國乎？何有。不能以禮讓為國，如禮何？」

這是說禮的基本精神在於讓。

再進一步說，孔子以為道德應在禮之先，所以子夏以「禮後」（〈八佾〉）為疑，而得到孔子的讚許。

孔子雖不反對——並且親自實行那繁文縟節的禮（如〈鄉黨〉所記），可是，他以為如果二者不能兼顧的時候，與其是祇注意末節，不如只注意其基本精神。所以他說：

禮云禮云，玉帛云乎哉？樂云樂云，鐘鼓云乎哉！（《論語．陽貨》）

林放問禮之本，子曰：「大哉問！禮，與其奢也，寧儉；喪，與其易（治也）也，寧戚。」（〈八佾〉）

祭思敬，喪思哀，其可已矣。（〈子張〉）

《禮記．檀弓上篇》子路引孔子的話說：

喪禮與其哀不足而禮有餘也，不若禮不足而哀有餘也；祭禮與其敬不足而禮有餘也，不若禮不足而敬有餘也。

這都是說明了孔子能注意「禮之本」。

總之，儒在古代，本為典章學術的寄託之專家，其初即為注意倫理道德，及建立社會之秩序者。至晉以後，法典與《禮經》並稱。《周官》之說，又悉入法典。故二千年來，儒者之學說，影響於華夏，最深最鉅者，實在制度法律公私生活之方面。這些都是儒家所謂之禮（觀《荀子》、《禮記》可知）。故禮實為儒家思想之重心。若果研究儒家的思想，能在禮的方面，多所注意，則其思得過半矣。

《中央研究院國際漢學會議論文集》（臺北：中央研究院，一九八一年十月）

宗法略論

宗法者何？即家族之組織法也。吾國自商、周以來，皆以家族為社會之基礎；而古代政治，又為「世者世祿」，故家族又為政治組織上之基礎。故欲明瞭古代——甚或至近世，欲明社會以及社會之組織，必須先明家族之組織。《書．堯典》曰「克明俊德，以親九族；九族既睦，平章百姓；百姓昭明，協和萬邦，黎民於變時雍」是也。欲明乎此，則須瞭解家族組織之法則；此法則者，「宗法」是也。

家族之組織法，何名曰「宗法」？「宗」者，《周禮．肆師》鄭玄注引杜子春「宗，廟也」宗廟之法則，又與家族及其組織有何關係？蓋家族之制，尊祖為先。其尊祖也，必以宗廟享之。而享祀宗廟，必有主持祭祀之人；其主持之人，即其族中之代表；亦其族中之領導者也。家族眾矣，而主持領導者，只能一人；此一人必備有何等資格，始可担任？故必建其制度，以為遵守。此即此法——「宗法」之所產生也。

其制度曰何？以今語釋之，即「繼承法」是矣。繼承法者，一家之中，由一人主之。此一人又如何產生？據《春秋公羊傳》莊公三十二年傳：

> 牙（叔牙，莊公弟）謂我（莊公自謂）曰：「魯一生一及，君已知之矣。」

又昭公二十二年傳：

> 父死子繼，兄死弟及。

《史記．魯周公世家》：

> 魯莊公欲立子斑。叔牙曰：「一繼一及，魯之常也。慶父（莊公弟）在，可為嗣，何憂？」

《公羊》莊公三十二年傳何休注：「父死子繼，兄死弟及。」由以上可知，繼承之法有二：一、父死子繼，一、兄死弟繼。因此王國維先生在其〈殷周制度論〉中，就曾主張：殷代的繼承法，是「兄終弟及」；周代的繼承法，是「父死子繼」。但是我們看一看《史記．殷本紀》所記載殷代王室世系，固然有弟繼兄者；但子繼父者之比例，亦屬不少！弟繼兄者十四王（〈三代世表〉、《漢書．古今人表》：十五王），子繼父者十五王。而自庚丁以至帝辛五王，皆為傳子。由此現象，甚難確定：何者為該制之正規，何者為例外之現象。至叔牙所謂「一繼一及，魯之常也」，我們不妨再看看《史記．魯周公世家》所載的魯公室的世系：

周公旦——：伯禽（子）——考公（子）——煬公（弟）——幽公（子）——魏公（弟）殺幽公自立——厲公（子）——獻公（弟）——真公（子）——武公（弟）懿公（少子）武公並曾欲其為「太子」——伯御懿公兄括之子——孝公（懿公弟）——惠公（子）——隱公（子）——桓公（弟）——莊公（太子）——閔公（子）——僖公（弟）——文公（子）——……頃公（子）。

由上表，可見自考公以後，桓公以前，是兄傳其弟，弟傳其子，子又傳其弟。此一現象，當為叔牙一語之所自出。此一現象，由何而來？殊費解釋。以魯為周之宗邦，直至春秋，猶為周文化之所繫，故至昭公時，晉宣子聘魯，而興「周禮盡在魯矣」（《左傳》昭公二年傳）之歎。若魯以「一繼一及」為正制，則周之王室，亦如此。但觀《史記．周本紀》周自文王以至幽王，皆傳子者也（除孝王為共王子，乃以叔父繼從子。當別有故。故孝王卒，仍立懿王子夷王也）。是則以子繼父，當為周制。魯即遵周制，而在西周之時，其繼承有如此差異之現象，古史少徵，不敢妄論。反觀宋為殷後，其制當本於殷，而西周自微子至厲公，除緡公、煬公以弟繼兄外，餘皆以子繼父也。子之繼父，之為周制，當無可疑；而弟之繼兄為殷制之說，尚難定論。或殷代自庚丁以前，子繼父或弟繼兄，尚無定制歟？

其繼承之人，又有「大宗」、「小宗」之別。《禮記．大傳篇》：「繼別為宗。」鄭玄注：

別子之世適也。族人尊之，謂之「大宗」，是宗子也。

是大宗又稱子。《禮記．喪服小記篇》：「繼禰者為小宗。」鄭玄注：

別子庶子之長子，為其昆弟為宗也。謂之「小宗」者，以其將遷也。

按宗法之詳，莫詳於《禮記》〈大傳〉、〈喪服小記〉二篇。〈大傳〉尤詳，茲引之于下：

別子為祖，繼別為宗，繼禰者為小宗。有百世不遷之宗，有五世而遷之宗。百世不遷者，別子之後也；宗（大宗─宗子），其繼別子之所自出者，百世不遷者也。宗（小宗）、其繼高祖者，五世則遷者也。

茲據之為表如下：

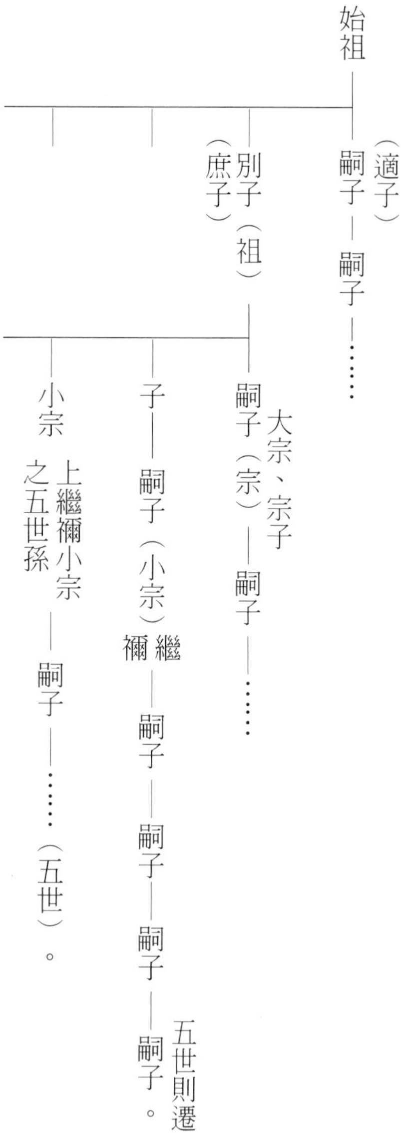

此種說法，出自儒家經典。是否為一家之論，抑歷史中確有「宗法」之存在？茲再引先秦地下與文獻可靠之資料，以求其證。西周時之【善鼎】：

余其用各我宗子 百生。

【虘鐘】：

用亯大宗。其卲大宗。

【召伯唐毀】：

用亯大宗。

及春秋時之【陳逆簠】：

以亯以孝于大宗。

《詩・大雅・板》：

大宗維翰。宗子維城。

由上引金文及文獻觀之，既有「宗子」、「大宗」之稱；及對之尊崇及云其與邦家之關係，則西周時即已有之。在封建制度之下，以一家族，作為政治上最高之統轄者時，其國君既為其家族之宗，亦為全國之君。故《詩・大雅・公劉篇》上說：「君之宗之」，毛《傳》：「為之君，為之大宗也。」毛氏之解，以國君之家族，有宗法之制。《詩・大雅・板》：「宗子維城」，鄭玄箋：「宗子，謂王之適子。」是王之家族有宗法之制，理應然也。《左傳》桓公二年傳、襄公十四年傳：「大夫有貳宗」（大宗、小宗），《荀子・禮論篇》：「大夫、士有常宗」，是大夫、士之家族，亦有宗法之制也。庶人若何？《禮記・曲禮篇》：「禮不下庶人」，則庶人之家族，可能無此組織。至〈大傳〉、〈喪服小記〉所言之宗法，鄭玄在〈小記〉注中謂：「諸侯之庶子，別為後世為祖也。謂之別子者，公子不得禰先君。」是鄭氏以該兩篇之說，似專屬之「諸侯」。則天子、大夫、士之宗法，是否亦復如是？以天子、大夫、士之家族，既有宗法，則不能不有嫡、庶之分，以作繼承，且「大夫有貳宗」，或亦如該兩篇之說。然應注意者，《左傳》僖公五年傳，晉士蒍引詩〈板〉：「宗子維城」，其指之「宗子」為晉獻公之公子重耳、夷吾。若與〈大傳〉、〈小記〉對勘，則法定之繼承人（諸侯則為太子）外，其他之子，即為「宗子」；然若該兩篇，公子之繼承者，始為該族之宗（大宗、宗子）。如是，則該兩篇之說，或因歷史，當時有宗法之制，儒者對於其組織方面，更加嚴密耳。

在此情形下，其繼承之法，周代似以傳嫡、傳長為正。其說詳：《左傳》襄公卅一年，魯穆叔語。昭公廿六年傳，王子朝語。《左傳》昭公十三年，楚共王死後，立繼承者的故事；和《禮記．檀弓下》，衛大夫石駘仲死後，立繼承者的故事。再可參《公羊傳》隱公元年傳的公羊家說。以時間關係，不能詳引了。

《孔孟月刊》第十九卷第十一期（一九八一年），頁十五、十六、四頁

三禮解題

一、泛論「經」之起源

「經」之一名，蓋起於戰國之世。《荀子．勸學篇》說：「其學惡乎始？惡乎終？曰：其數則始乎誦經，終乎讀禮。」《莊子．天下篇》裡，不但有「經」之名，並有「六經」（《禮》、《書》、《詩》、《易》、《樂》、《春秋》）之稱。到了秦漢的時候，靠著經書吃飯的人——博士，已經是一種職業了。所以博士也可稱作「經生」（見《後漢書．蔡元傳》注）。漢武帝建元五年，始置五經博士；而所謂的「五經」，指的是：《易》、《書》、《詩》、《禮》、《春秋》。蓋以其為「聖人語文」也。其名曰「經」者，王逸《楚辭．離騷經．序》謂：「經，徑也，言人生應循之路也。」在漢朝，經書是寫在二尺四寸的簡冊上的，故稱之為「高文典冊」（《尚書．序．正義》引顧氏：「策長二尺四寸、簡長一尺二寸。」並見王充《論衡．謝短篇》、鄭玄《論語．序》，鄭說見《儀禮．聘禮記》賈公彥《疏》引，賈疏本作「尺二寸」，茲據阮元校勘記改，賈《疏》並云：「簡謂據一片而言，冊是編連之稱。」又見《左傳．序》孔穎達《疏》引、《通典．五四》引許敬宗奏。）《孝經》是寫到一尺二寸的簡上（見鄭玄《論語．序》），《論語》則寫到八寸的簡上（亦見〈鄭序〉）。《論語》、《孝經》為傳記博士（錢大昕以為武帝置五經博士，而廢此二傳博士）。至於傳，則是所謂短書小記了（《論衡．骨相篇》：「在經傳者較著可信，若夫短書俗記、竹帛胤文，非儒者所見。」）。

我們現在所有的「十三經」是宋以來才湊足的數目。在漢代只有「五經」，五經是：

《易》、《書》、《詩》、《禮》、《春秋》。「六經」就是加上《樂經》（見《後漢書・班彪傳》李賢《注》，惟《樂經》漢時已亡。《漢書・藝文志》傳樂者六家，劉向又得二十三篇，常山王禹所傳者不同。）後漢靈帝熹平時，所刻的石經是「七經」，其目為：《易》、《書》、《詩》、《春秋》、《春秋公羊傳》、《儀禮》、《論語》（見《隋書・經籍志》）。唐朝又添《周禮》、《穀梁》為「九經」。文宗開成時候，所刻的石經是「十二經」，其目為《易》、《書》、《詩》、《三禮》、《春秋三傳》、《論語》、《孝經》、《爾雅》。宋孝宗淳熙中，以朱子將《孟子》列入四書，遂又添上《孟子》，而為「十三經」。

十三經裡面，大多是先秦舊籍，另有某些部份，乃是漢人的著作（《爾雅》、《禮記》中，漢人的著作更多）。此外尚有《大戴禮記》八十五篇（漢宣帝時，梁人戴德所編，今存三十九篇，亡四十六篇。）也是說禮的一部書，內容也是有關古代禮俗制度及儒家思想的可貴史料，雖未列入十三經之內，可是清代經學大師也都在此書上用功夫，與其他諸經一視同仁，所以這部書也是學經學的人必須研讀的。

二、今日治經學的態度及方法

經學自西漢以來，已成為經國處世之典則，如雋不疑之引經斷獄（漢渤海人，昭帝時為京兆尹，引蒯聵出奔，其子輒不納為例，以斷冒衛太子之獄。）王式以三百五篇為諫書（武帝時新桃人，為昌邑王師。）等到宋朝以後，更被視作金科玉律，這種態度，已超出學術之外了。不過，歷代的大學者，如朱熹之解〈詩〉，多以為淫奔之作，歐陽修之疑《易》〈繫辭〉及〈文言〉非出於孔子，吳棫之疑二十五篇偽古文《尚書》，王安石謂《春秋》為「斷爛朝報」。這幾位大師們，都能夠發揮己見，根據原文，作其復原的工作，已不是「經」之一字所能限制他們的了。到了清代，樸學大師們更有實事求是的精神，有合乎科學考證的方法。民國以後，又有所謂「疑古派」的學者，他們那種疑古的態度，雖有時免不了幼稚的見解，卻也給了我們不少的啟發。而我們今天研治經學的態度，則是既不盲目的疑古，也不盲目的崇古，只有本著近代的科學方法，以治史的態度，利用樸學大師們在語文學上所研究的成果，參以考古學、民族學等資料，以及整理出來的一部分思想史的材料，以欣賞美術之眼光，以神會古人之心思，來了解這殘缺不完的古史之一環。這樣，在數千年後，我們來讀一部古書的時候，對於它或者能夠多少的給予一點恢復原始狀態或本來面目的工作。而我們個人或者也能夠對於古史之某一部份，得到一點較確實、較深刻的印象。

三、《周禮》概述

上面我已經把經學的起源，及我們治學應有的態度，約略說了一些。現在言歸正傳，來說說有關「三禮」本身的問題。先說《周禮》。

《周禮》一書，見於著錄者，據《漢書．藝文志》：「《周官》經六篇。」原注：「王莽時，劉歆置博士。」《後漢書．賈逵傳》：「作《周禮解詁》。」又〈儒林傳〉：「……後，馬融作《周官傳》，授鄭玄；玄作《周官注》。」又《隋書．經籍志》著錄有馬融、鄭玄、王肅等三家所注之《周官禮十二卷》。

按，《周禮》之傳授，始自漢武帝之時。《漢書．河間獻王傳》：「……修學好古，所得書，皆先秦古文舊書，《周官》、……。」《隋書．經籍志》：「漢時有李氏得《周官》。《周官》，蓋周公所制官政之法。上於河間獻王，獨闕〈冬官〉一篇；獻王購以千金，不得，遂取〈考工記〉以補其處，合成六篇，奏之。……今《周官》六篇，……唯鄭《注》立于國學。」唐賈公彥《周禮義疏．序周禮廢興》云：

> 《周官》，孝武之時始出，……馬融傳（按謂馬融《周官傳》）云：「秦自孝公已下，用商君之法，其政酷烈，與周官相反，故始皇禁挾書，特疾惡，欲滅絕之，搜求焚燒之獨悉，是以隱藏百年。孝武帝，始除挾書之律，開獻書之路；既出於山巖屋壁，復入于祕府。五家之儒，莫得見焉。至孝成皇帝，達才通人劉向、子歆，校理祕書，始得列序，著于《錄》《略》，然亡其〈冬官〉一篇，以〈考工記〉足之。時眾儒並出，共排以為非是。唯歆獨識，……于春秋末年，乃知其周公致太平之迹，迹具在斯。奈遭天下倉卒，兵革並起，疾疫喪荒，弟子死喪。徒有里人河南緱氏杜子春尚在，永平之初，年且九十，家于南山，能通其讀，頗識其說。鄭眾、賈逵，往受業焉。……逵解行于世，眾解不行。……然眾時所解說，近得其實，獨以書序言：「成王既黜殷命，還歸在豐，作《周官》。」則此《周官》也。失之矣。……（融）年六十有六，目瞑意倦，自力補之，謂之《周官傳》也。……故鄭玄序云：「世祖以來，通人達士，中大夫鄭少贛名興、及子大司農仲司名眾、故議郎衛次仲、侍中賈君景伯、南郡太守馬季長，皆作《周禮解詁》。」

由以上引述的資料，可知《周禮》一書乃先秦古文舊書，漢武帝時始出，而為人所知。王莽時，劉歆奏立于學官，正式具備了「經」的地位，東漢以後，古文學經師莫不崇奉研習，以為其乃「周公致太平之迹」，而成為經學上重要的典籍之一。

《周禮》一書，相傳是周公佐成王時候所制訂的設官分職的典籍，故後世又稱之為《周官》。鄭康成以為乃周公所作（見《周禮．天官冢宰》「惟王建國」下注）。但漢武帝已以其為「末世瀆亂不驗之書」，何休亦視之為「六國陰謀之書」（並見《周禮》賈《疏》〈序周禮廢興〉）。皆以為是戰國之作。後世學者，疑之益眾，毛奇齡《周禮問》更謂此書「不特非周公所作，且並非孔孟以前之書。此與《儀禮》、《禮記》，皆同出於周秦之間。」近人研究此書，亦多以為成於戰國之世，如張心澂作《偽書通考》，即綜合各家之說，從體裁、制度、思想、背景各方面考察，以為是戰國時代的作品；錢賓四先生著有〈周官著作時代考〉一文，就禮典、刑法、田制、封建、軍制、外族、音樂等方面推斷，亦證明《周禮》應著成於戰國晚期。這些見解大致上是正確的。至於作者是誰，實在無法確定。大概是戰國末期的儒者，為了表現其政治理想，因而掇拾某些周代政治制度，揉合儒家、法家，以及陰陽家的理論，參入作者的主張，而編訂成一部理想化的政府組織法，以待後代王者的取法，達到其政治主張的目的。

《周禮》共計六篇，每篇以一官為名，依次為〈天官〉、〈地官〉、〈春官〉、〈夏官〉、〈秋官〉和〈冬官〉。因〈冬官〉一篇亡佚，漢時取〈考工記〉以補〈冬官〉之闕。每官之下有經文一條，總述職掌要義，次即依官分敘其職責，以及職務的繁簡輕重，因官職等級大小而別，層次分明，頗為詳盡。茲舉《周禮》所載六官之長的名稱及職掌為例，以見一斑。《周禮．天官冢宰》云：

> 惟王建國，辨方正位，體國經野，設官分職，以為民極。乃立天官冢宰，使帥其屬而掌邦治，以佐王均邦國。

冢宰治官之職，於太宰之職云：

> 掌建邦之六典，以佐王治邦國。一曰治典，以經邦國，以治官府，以紀萬民。二曰教典，以安邦國，以教官府，以擾萬民。三曰禮典，以和邦國，以統百官，以諧萬民。四曰政典，以平邦國，以正百官，以均萬民。五曰刑典，以詰邦國，以刑百官，以糾萬民。六曰事典，以富邦國，以任百官，以生萬民。

〈地官司徒〉云：

> 惟王建國，……乃立地官司徒，使帥其屬（按即教官之屬）而掌邦教，以佐王安擾邦國。

〈春官宗伯〉云：

惟王建國，……乃立春官宗伯，使帥其屬（按即禮官之屬）而掌邦禮，以佐王和邦國。

〈司馬夏官〉云：

立夏官司馬，使帥其屬（按即政官之屬）而掌邦政，以佐王平邦國。

〈秋官司寇〉云：

立秋官司寇，使帥其屬（按即刑官之屬）而掌邦禁，以佐王刑邦國。

〈冬官〉已佚，《周禮．考工記》第六云：

國有六職，百工與居一焉。（鄭注：「百工，司空事官之屬，於天地四時之職，亦處其一也。」）

按六官之屬，各有所掌，而以天官冢宰之職為百官之首。從《周禮》整部書來看，它雖非周公所作，卻是戰國末期某一部份儒者在政府組織及政治思想上的重要而具體的主張。如果用來研究先秦政治思想史和社會史，實有很多可取的材料，這也是《周禮》一書價值之所在。

四、《儀禮》概述

《儀禮》之名，始見《論衡．謝短篇》，在西漢只稱「禮」（如《史記》、《別錄》、〈移太常讓博士書〉），或稱「士禮」（如《史記》、《別錄》），或稱「經」（《通典》卷九十九引〈石渠論議〉卷七十三引記作經）。至東漢時，雖有《儀禮》之名，但如《漢書．藝文志》、〈儒林傳〉，仍稱之曰「士禮」、曰「經」（《漢書．藝文志》、《白虎通》），曰「禮」（〈六藝論〉）。蓋自鄭玄注今本之十七篇之後，其名稱始定為《儀禮》。

今之《儀禮》十七篇，其傳授之情形，《史記》、《漢書》，以及鄭玄《六藝論》等所述，互有詳略，而以《漢書．儒林傳》所言最為詳細，《漢書．儒林傳》云：

漢興，高堂生傳士禮十七篇。而魯徐生善為頌。孝文時，徐生以頌為禮官大夫，傳子，至孫延、襄。襄其資性善為頌，不能通經，延頗能，未善也。襄亦以頌為大夫，至廣陵內史。延及徐氏弟子公戶滿意、桓生、單次皆為禮官大夫。而瑕丘蕭奮，以禮至淮陽太守。諸言禮為頌者，由徐氏。

〈儒林傳〉又云：

孟卿，東海人也，事蕭奮，以授后倉、魯閭丘卿。倉說禮數萬言，號曰「后氏曲臺記」，授沛聞人通漢子方，梁戴德延君，戴聖次君，沛慶普孝公。孝公為東平太傅。德號大戴，為信都太傅。聖號小戴，以博士論石渠，至九江太守。由是禮有大戴、小戴、慶氏之學。

按，漢宣帝時，戴德、戴聖、慶普，三家立於學官，為《禮》經博士（見《漢書．藝文志》）。而西漢時所流傳的《禮》經十七篇的本子，共有三種之不同，即大戴、小戴及劉向別錄等三種本子。東漢時鄭玄取劉向《別錄》本，為十七篇作注，也就是我們今日所見的《儀禮》，又稱之為「今本」。唐賈公彥《儀禮義疏》於每篇題下皆引鄭玄《目錄》，言本篇在大、小戴本、別錄本，其篇次之異，可以窺知漢代《儀禮》版本篇次的情形。近世又在武威發現《儀禮》漢簡的本子，有甲、乙、丙三種之異，而武威漢簡本《儀禮》雖只剩八篇，殘缺不全，其篇次又異於大、小戴、別錄本。所以我們今日所知道的漢代《儀禮》的本子，至少有四種不同篇次的本子。

漢時禮經除高堂生所傳十七篇的今文本之外，尚有古文本。古文《禮》即淹中孔壁與河間獻王所得者（見《漢書．藝文志》、《經典釋文．敘錄》引鄭玄《六藝論》）。古文禮又稱「禮古經」（《漢書．藝文志》、阮孝緒《七錄》）、「古禮」（〈六藝論〉、〈移太常讓博士書〉）。古文禮有五十六篇（《禮記・奔喪篇》題下孔《疏》引鄭玄云：「古禮五十七篇」。《經義考》卷百三十引阮孝緒《七錄》云：「古經出魯淹中有六十六篇，王充《論衡》謂六十篇」）其中十七篇與高堂生所傳者同，而字多異，其餘三十九篇，又稱為「逸禮」，鄭康成猶及見之，唐初尚存，今已不傳，甚是可惜。

據荀悅《漢紀》引劉向曰：「禮始於高堂生，傳士禮十八篇，多不備。」此謂高堂生傳士禮十八篇，與《漢書》〈藝文志〉、〈儒林傳〉及今本所見之十七篇不同。篇數之所以差異者，按〈喪服〉一篇賈公彥於大題下疏云：「按〈喪服〉上、下十有一章。」〈士喪服〉若以上、下為兩篇數之，則可謂之十八篇也。又如〈有司徹〉本為〈少牢饋食禮〉之下篇（武威簡本及今本，〈有司徹〉皆無內題）、〈既夕禮〉本為〈士喪禮〉之下篇，皆可以一篇計之，亦可以兩篇計之；因此古文禮有五十六篇、五十七篇、或六十六篇之別，大概也是由於某些較長的篇章，在篇數上可以分合計數的緣故。

不過，東漢時王充以為《儀禮》「秦火之餘」者，只十六篇，以其說考之，非只篇數計法之不同而已。《論衡・謝短篇》云：

> 宣帝時，河內女子壞老屋，得佚禮一篇。六十篇中，是何篇者？高祖詔叔孫通制作儀品十六篇何在？而復定儀禮，見在十六篇，秦火之餘。更秦之時篇凡有幾？

《儀禮》在兩漢時，皆以為十七篇；此言十六為秦火之餘，其十七之數，實至宣帝時所增益者。《論衡・正說篇》云：

> 至孝宣皇帝之時，河內女子發老屋，得逸《易》、《禮》、《尚書》各一篇。宣帝下示博士，然後《易》、《禮》、《書》各益一篇。

所謂《禮》益一篇，究竟是十七篇中的哪一篇呢？按今《儀禮》鄭《注》每逢今古文之異者，必注明其所從，十七篇中，有十六篇都有今文古文異同互出之情形，可見既有今文本，又有古文本；惟獨〈喪服〉一篇不注名今古之異。則〈喪服〉只有一本明矣。此甚可注意之點也。屈萬里先生所作《易損其一考》及《漢石經殘字集證》，已證明河內女子所得之《易》，即〈雜卦〉一篇；《書》即〈泰誓〉一篇，屈先生並謂「乃漢人偽作，託諸河內女子以售其欺者。」今若以河內同出之《易》、《書》之例推之，彼既為漢人之作，則此篇正宜無古文也。且石渠論禮，群儒各持己說，〈喪服〉篇中多處經文，竟被作為討論之資，而最後始裁決於天子（見《通典》八十九、九十九所引）。抑又有進者，武威所出簡本《服傳》收經記之文，竟大事刪削，以成一家之言。則經記在其心目中，只為立論之依傍，非如《公羊》、《穀梁》之於《春秋》，雖其旨不相謀，亦必屈意以附經，其名雖曰「服傳」，實自立為說，故〈喪服〉一篇，不但可為辯論之資，亦可任意有所去取。此漢人於他經所未有之態度也。蓋〈喪服〉一篇，既為後出，則或如〈雜卦〉之於《易》，〈泰誓〉之於《書》，竟為漢人所作者。其列於經典之林，亦如《別錄》所云：「與博士使讀說之，數月，皆記傳以教人。」之情形相同。蓋「使博士讀說」，而後乃列入經典之林，故有此現象也。如果以上推論不致太錯，則王充所謂後益之一篇，甚可能即〈喪服〉一篇矣。至於班固、鄭玄所謂十七篇者，蓋皆以〈喪服〉自宣帝以來已定為《儀禮》經文，故統一言之也。

五、《禮記》概述

我們現在所說的十三經中的《禮記》，是指經過戴聖編纂傳授的四十六篇的本子而說的（又可稱之為四十九篇，蓋以〈曲禮〉、〈檀弓〉、〈雜記〉三篇皆分上下，故多三篇計之）。禮的範圍很廣泛，禮儀、制度、習俗等，都可以包括在內。《禮記》四十九篇，就是把關於這些方面的文章所編集而成的，以現在學科分類的眼光看來，它可以說是一部各科論文的叢集。

劉向的《別錄》，曾把《禮記》各篇分為十一類。據孔穎達《禮記正義》所引鄭氏《目錄》轉述的《別錄》，其十一類的情形如下：

制度：曲禮（上、下）、王制、禮器、少儀、深衣。

通論：檀弓（上、下）、禮運、玉藻、學記、經解、哀公問、仲尼燕居、孔子閒居、坊記、中庸、表記、緇衣、儒行、大學。

通錄：大傳。

明堂陰陽：月令、明堂位。

喪服：曾子問、喪服小記、雜記（上、下）、喪大記、奔喪、問喪、服問、間傳、三年問、喪服四制。

世子法：文王世子。

子法：內則。

祭祀：郊特牲、祭法、祭義、祭統。

樂記：樂記。

吉禮：投壺、射義。

吉事：冠義、昏義、鄉飲酒義、燕義、聘義。

以上共計是四十六篇；其中有三篇各分上、下二篇，所以也可以說是四十九篇。

有關《禮記》的編集以及其受授存闕的史料，據《漢書・藝文志》禮類第三所著錄者有：

記百三十一、明堂陰陽記二十三篇、王史氏二十篇、曲台后倉八篇、中庸說二篇、明堂陰陽說五篇、周官經六篇、周官傳四篇、軍禮司馬法五百五十篇、古封禪羣記二十二篇、封禪議對十九篇、漢封禪羣記二十六篇、奏議三十八篇。

《隋書．經籍志》提到《禮記》之編集時說：

> 漢初，河間獻王又得仲尼弟子及後學者所記一百三十一篇獻之，之時亦無傳之者。至劉向考校經籍，檢得一百三十篇，向因第而叙之。而又得明堂陰陽記三十三篇，孔子三朝記七篇，王氏史氏記二十一篇、樂記二十三篇，凡五種，合二百十四篇。戴德刪其煩重，合而記之，為八十五篇，謂之大戴記；而戴聖又刪大戴之書為四十六篇，謂之小戴記；漢末馬融，遂傳小戴之學；融又足月令一篇，明堂位一篇，樂記一篇，合四十九篇。

按：這段記載的三個要點，完全是錯誤的。第一、它說《大戴記》是戴德根據劉向所校定的百三十篇，和又得的〈明堂陰陽記〉等五種，刪其煩重而成的。但，二戴是武、宣時人，怎能刪哀、平時劉向、歆父子所校的書？這點梁任公在其〈要籍解題及其讀法〉中已說過了。第二、它說馬融增加了〈月令〉、〈明堂位〉、〈樂記〉各一篇。但是，據《後漢書．橋玄傳》，說玄的七世祖仁，曾著《禮記章句》四十九篇。橋仁是漢成帝時人，曾受禮學於戴聖（見《漢書．儒林傳》），可見西漢時的《禮記》已是四十九篇，何況《禮記正義》引《別錄》說：「《禮記》四十九篇，〈樂記〉第十九」。鄭氏《目錄》引述劉向的《別錄》（見《禮記正義》引），也有〈月令〉、〈明堂位〉、〈樂記〉三篇。鄭玄是馬融親授業的弟子，他如果知道，也應當說明的。可見這三篇當劉向時已在《禮記》之內，又何必等待馬融加入呢（以上略本〈四庫全書總目提要〉說）？第三、它說《小戴記》是刪《大戴記》而成的（此說當本晉人陳郡〈周禮論序〉；陳說見《經典釋文．敘錄》引）。這話也不確實，因為《大戴禮記》八十五篇，今存三十九篇，在已佚的四十六篇中，可以考知篇名的有十九篇，其中就有八篇和《小戴禮記》的篇名重複，可見《小戴記》並非就《大戴記》刪訂而成的。

總之，《大戴禮》八十五篇，是戴德所傳的；《禮記》（小戴記）四十六篇（或說四十九篇），是戴聖所傳的，他們各有各的取捨，因而內容也就不必相同了。

《禮記》這部書，來源甚廣，內容亦極複雜，當非一時一人之作。從其內容、理論，以及文章的風格等各方面來看，大約是戰國秦漢之間的儒者所作，再從劉向《別錄》已經著錄此書來說，其時代當不致晚於西漢中葉，最後才由戴聖把它編集成書的。

六、三禮的價值

有關《周禮》、《儀禮》、《禮記》，這三部經書的大概情形，略如上述。其中多有古代思想制度、禮俗、儀節等方面之史料。尤其在儒家學說思想之史料中，價值更高，影響吾人生活方面者至鉅。我們要知道，在孔門中，「禮」是一個很重要的學科，也是儒家在政治組織，社會組織上的一種工具。所以它是孔門處人律己的規範，也是施政和治民的典則。這在孔子時，已是如此，而在荀子的學說裡，表現得更為明白。荀子主張性惡，所以他更特別注意「禮之用」，李斯承之，以佐秦法；秦之法治，本來是儒家所附繫的。三《禮》，尤其是《禮記》，可以說是包括了儒家對於禮的觀念、態度、用途及哲學的思想，由它可以看出自孔子以至西漢儒家演變的痕迹。到了秦漢，這時候的儒士經生，在純思想方面，多接受了陰陽五行的觀念，他們無不採陰陽五行之說以解經，並且將內在的性情、社會倫理、政治思想與制度，均以五行配之。其言「處人律己」，也還是拿禮作為人格教育的工具；像〈曲禮〉、〈檀弓〉、〈曾子問〉、〈文王世子〉、〈郊特牲〉、〈內則〉、〈玉藻〉、〈少儀〉、〈學記〉、〈雜記〉、〈大學〉諸篇，都是說公私生活方面的。可是比起孔子的倫理學說來，有些地方卻顯得迂腐多了。至於講政治制度、社會組織，以及禮俗觀念的，像《周禮》、《儀禮》，以及《禮記》的〈王制〉、〈禮運〉，有關宗法與喪、祭的篇章，固然能發揮他們在這方面的思想與理想制度，可是，可以看出來，一般的腐儒們，越變越迂闊瑣屑。至於改正朔、易服色，議封禪、巡狩、立明堂，雖不盡見納於當時之君，不過可以看出皇帝要講制度，這一套理論制度，總是要向儒生們請教的。其他像〈禮運〉、〈樂記〉、〈大傳〉、〈三年問〉、〈祭義〉、〈祭統〉、昏冠諸義，則是給禮治主義下了一個定義，闡述禮俗制度之精義及其功用，並將古代禮俗制度賦予合乎人情的理論，這倒不失孔子與荀子的初意的。這些都是三《禮》的價值所在，值得我們加以重視。

七、三禮之讀法

在前邊，我已經把治經學的態度及方法，說了一些。現在再特別把讀三《禮》應注意的幾點說一說：

一、三《禮》既然是有關古代的史料，我們就應當以治古始的態度與方法去讀。可是應特別小心的，就是這裡邊有關古史部分的東西，有些是真史料，有些是儒家「託古改制」或偽託古人以立說的（這種態度，孟子就常有）。所以對於這些部份，必須參以其它可靠的史料（尤其是同時的），審以他們當時立說或引用的本意，才可以判斷材料是否真實，或是偽託以支持其理論者。

二、是以治儒家思想史的目的去讀。這一點尤以讀《禮記》更是要緊。《禮記》是研究戰國秦漢之際，儒家思想演變之迹，最重要的一部書。在這方面，我們要注意的是：第一、要認清思想的派別，《韓非子．顯學篇》有「儒分為八」之說，可見儒家自孔子以後，派別已經很多了。今天我們雖然不可能強為分別，各歸其宗，可是我們總要特別注意，應當先根據可靠的有關史料（如《論語》、《孟子》、《荀子》、〈檀弓〉）看看孔子及門弟子後學的言行。《禮記》中，若有合乎某人的，就可以認為可靠，否則就是這一派演變或偽託的，如果找不出其思想之依據，便只好「疑以傳疑」了。第二、是關於「子曰」或「孔子曰」的地方，也應特別注意。因為「子曰」的子，不一定就是孔子，可能是七十子後學者之稱其本師（如〈中庸〉之子曰，可能是指子思）。至於「孔子曰」，則要看其所說的內容如何？是否合乎孔子的學說、思想，相合的，可能是真正孔子的話；不合的，就是後儒假託孔子以自重了。

三、《禮記》中有關孔子應用於日常生活方面的，有許多地方，雖在數千年後，仍然可以作為我們律己處人的典範（如〈曲禮〉等），很可以作為修身的教本，這也是學《禮》的一個重要目的。

參考書籍

最後，我把研究三《禮》的重要書籍，列舉一些，以供參考。

一、《周禮》方面：鄭玄《注》、賈公彥《疏》（《十三經注疏》附阮元《校勘記》本）、清孫詒讓《周禮正義》。

二、《儀禮》方面：鄭玄《注》、賈公彥《疏》（《十三經注疏》附阮元《校勘記》本）、清胡培翬《儀禮正義》、元敖繼公《儀禮集說》、清張爾岐《儀禮鄭注句讀》、清凌廷堪《禮經釋例》、臺灣中華書局出版《儀禮復原研究叢刊》。

三、《禮記》方面：鄭玄《注》、孔穎達《正義》（《十三經注疏》附阮元《校勘記》本）、陳澔《禮記集說》、清孫希旦《禮記集解》。

《孔孟月刊》第廿二卷第十二期（一九八四年八月），頁二一—二七

儒家的禮教

一、前言

禮，是儒家哲學的重心之一。所謂禮教，即是禮的教育；在儒學授受中，佔有極重要的地位。孔子說：「不學禮，無以立。」（《論語．季氏篇》）荀子論人欲成學，應「始乎誦經，終乎讀禮」（《荀子．勸學篇》），這都強調禮學的重要。所以孔門固然時時講求禮儀，而儒者誦習的經傳中，禮書也佔了相當的份量。

儒家為什麼如此重視禮教？這自然要牽涉到禮的理論、範疇、本質的討論，下文擬就此三項分別引述。

二、禮的理論

何謂「禮」？《說文》示部說：「禮，履也，所以事神致福也。从示从豊。」又豊部說：「豊，行禮之器也。」王國維先生在《觀堂集林》卷六〈釋禮〉一文中指出：甲骨文已有「豊」字，象二玉在器之形，盛玉以奉神人之器謂之「豊」，推之而奉神人之器謂之「禮」。也就是說：「豊」指禮器，「禮」指儀文。王國維先生從古文字學的角度探究「禮」字的初義，見解極為正確。

「禮」的初義與宗教祭祀關係密切，反映了神權時代的禮的內容。但隨著人文精神的擡頭，「禮」的涵義逐漸豐富，從宗教祭祀的儀文，擴及政治的措施以及人倫的規範，在此僅引三段《左傳》中的文字，以見一般。昭公五年：

（魯昭）公如晉，自郊勞至于贈賄，無失禮。晉侯（平公）謂女叔齊曰：「魯侯不亦善於禮乎！」對曰：「魯侯焉知禮！」公曰：「何為？自郊勞至于贈賄，禮無違者，何故不知？」對曰：「是儀也，不可謂禮。禮，所以守其國，行其政令，無失其民者也。今政令在家，不能取也；有子家羈，弗能用也；奸大國之盟，陵虐小國；利人之難，不知其私。公室四分，民食於它。思莫在公，不圖其終。為國君，難將及身，不恤其所。禮之本末，將於此乎在，而屑屑焉習儀以亟。言善於禮，不亦遠乎！」

晉平公稱外交儀節為「禮」，女叔齊則稱守國治民為「禮」，他們所謂「禮」，已超乎喪、祭等等範疇之外了。更值得注意的是：女叔齊提到「禮之本末」的問題，他指出內涵是本，儀文是末，禮儀的進行應以內涵為基礎，如其不然，「言善於禮，不亦遠乎！」類似的言論，亦見於昭公二十五年：

子大叔見趙簡子，簡子問揖讓周旋之禮焉。對曰：「是儀也，非禮也。」簡子曰：「敢問何謂禮？」對曰：「吉也聞諸先大夫產曰：『夫禮，天之經也，地之義也，民之行也。』……為君臣上下，以則地義；為夫婦外內，以經二物；為父子兄弟姑姊甥舅昏媾姻亞，以象天明。……」

子大叔和女叔齊一樣，把應對進退視為「儀」，而認為「禮」是政治措施與人倫規範。又昭公二年記叔向語說：

忠信，禮之器也；卑讓，禮之宗也。

從以上所述，我們知道春秋時賢心目中的「禮」的涵義，較初義已豐富多了。

春秋諸賢對禮的認識與主張，為孔子以降諸儒所繼承並發揚，不過孔孟尚未正式提出關於禮之起源及功能的理論（詳下文），到了荀子，才有一套完整的學說。

《荀子》一書，有〈禮論篇〉，是論禮的重要作品。但荀子論禮，與他的其他論點，環環相扣，不可獨立，所以《荀子》全書差不多篇篇都論到了禮，因此討論荀子關於禮的理論，也要廣泛參考其他各篇。

荀子認為禮乃是一個社會人必須有的修養，懂得禮，才能脫離只知自利的自然人的階段，成為彬彬有禮的君子。將自然人教育成社會人，這便是禮教的功能。《荀子．天論篇》論一個自然人的產生說：

天職既立，天功既成，形具而神生。好惡喜怒哀樂臧（藏）焉，夫是之謂「天情」；耳目鼻口形能各有接，而不相能也，夫是之謂「天官」；心居中虛，以治五官，夫是之謂「天君」。

荀子所謂「天」，指無人格的自然現象言。一個自然人，天生具有七情六欲，同時也具有思辨的能力（心、天君）。人既具有情欲，自想獲得滿足，這是不論智愚賢不肖都共同的自然反應，〈非相篇〉說：

飢而欲食，寒而欲煖，勞而欲息，好利而惡害，是人之所生而有也，是無待而然者也，是禹、桀之所同也。

僅就這一層面論，人的行為並無價值判斷的必要。但人乃是營群居生活的，而且自然界的物質並非無限，如果人人只顧滿足自我，必會產生爭端，社會必將充斥淫亂暴力，〈性惡篇〉說：

今人之性，生而有好利焉，順是，故爭奪生而辭讓亡焉；生而有疾惡焉，順是，故殘賊生而忠信亡焉；生而有耳目之欲，有好聲色焉，順是，故淫亂生而禮義文理亡焉。然則從人之性，順人之情，必出於爭奪，合於犯分亂理，而歸於暴。

不過，人卻具有思辨的能力（心），心是「天君」，它能控制「天情」和「天官」，而不為所制，〈解蔽篇〉說：

心者，形之君也，而神明之主也，出令而無所受令。……

心不可劫而使易意，是之則受，非之則辭。

這是人之所以異於其他生物的地方，也是人能夠發展文化、人之所以為人的原因，〈非相篇〉說：

人之所以為人者何已（以）也？曰：以其有辯（辨）也。

人類因為能夠運用思辨，因此能節制自己的情欲，調整自己的行為，在人際之間、物我之間維持合適的互動，使彼此各蒙利避害，和諧相處，這便是禮的源起，〈禮論篇〉說：

禮起於何也？曰：人生而有欲，欲而不得，則不能無求，求而無度量分界，則不能不爭，爭則亂，亂則窮。先王惡其亂也，故制禮義以分之，以養人之欲，給人之求，使欲必不窮乎物，物必不屈於欲，兩者相持而長，是禮之所起也。

〈榮辱篇〉說：

夫貴為天子，富有天下，是人情之所同欲也，然則從人之欲，則埶（勢）不能容，物不能贍也。故先王案為之制禮義以分之，使有貴賤之等，長幼之差，知（智）愚能不能之分，皆使人載其事而各得其宜，然後使穀祿多少厚薄之稱，是夫羣居和一之道也。

荀子所謂「群居和一」、「兩者相持而長」，即是上文所提的「在人際之間、物我之間維持合適的互動」，這「合適的互動」即是禮，是維繫人際和諧，社會安定的行為規範，而其產生，乃是經理性思索的結果。按理，一個社會經過長期「維持合適的互動」，即應產生「禮義」，禮該是社會的產物，為何荀子卻說是「先王」所制呢？關於這一點，荀子雖然沒有明白交代，但從荀子哲學的架構中，我們不難推測他的意思。人類雖能思辨，但其能力與經驗的範疇卻有差異，「先王」（古代的聖王）既最賢能，其所處理的層面又涉及天下的大小事物，因此他們制定的禮，既是最合理性的，也是能夠照顧到大小狀況的，並且傳之既久，也經過了時間的考驗。

上引〈禮論篇〉和〈榮辱篇〉中的「分」字和「和」字，極值得注意，也就是說：用「定分」來「節制」人的情欲，而使人際之間、物我之間「和諧」，這就是禮的功能。事實上，這並非荀子的創發，有若說：

禮之用，和為貴，先王之道，斯為美，小大由之。有所不行，知和而和，不以禮節之，亦不可行也。（《論語．學而篇》）

孟子也說：

仁之實，事親是也。義之實，從兄是也。……禮之實，節文斯二者是也。（〈離婁上〉）

「和」則無過不及，所以能「和」者，依於禮以「節」之。《荀子．大略篇》說：「禮，節也。」即是此義。從另一個角度說，能「節」以致「和」，即是所謂「中」道。《禮記．中庸》說：「執其兩端，用其中於民。」〈仲尼燕居〉載後人述孔子之言：「夫禮者，所以制中也。」

人懂得禮儀，知「節」、能「和」、行「中」，乃能成為有教養的君子，這便有賴於學習，《論語》以〈學而篇〉居首，《荀子》以〈勸學篇〉居首，不是沒有意義的。而從以上關於禮的源起和功能的討論，也解釋了為何儒家如此重視禮教。

三、禮的範疇

孔子的思想，以人本主義為根本旨趣，關心人倫，因此極重視禮教。他以為一個人的學養，要：

興於詩，立於禮，成於樂。（《論語．泰伯篇》）

即是認為人欲卓然自立，須有禮的修養與功夫，反過來說，便是「不學禮，無以立」，無法在社會立足為人了。因此要「克己復禮」：

非禮勿視，非禮勿聽，非禮勿言，非禮勿動。（〈顏淵篇〉）

在政治方面，孔子也極重視禮，孔子答齊景公問政，說：

君君，臣臣，父父，子子。（〈顏淵篇〉）

這是說君臣、父子應守定分，相待以禮。至於治民，孔子說：

上好禮，則民易使也。（〈憲問篇〉）

能以禮讓為國乎？何有。不能以禮讓為國，如禮何？（〈里仁篇〉）

禮樂不興，則刑罰不中。（〈子路篇〉）

道之以政，齊之以刑，民免而無恥。道之以德，齊之以禮，有恥且格。（〈為政篇〉）

僅從上引的幾段，我們知道孔子所謂禮，包括律己的規範、待人處事的態度、社會的秩序、政治的制度，法律的典章等範疇，涵蓋面較女叔齊、子大叔所論更為廣泛。

孟子是性善論者，不太談到禮，但他也說：「禮之實，節文斯二者（事親、從兄）是也。」（已見上引）認為禮是人倫所必須的。

荀子論禮，範疇則極為廣泛，他說：

人無禮則不生。（〈修身篇〉）

禮者，所以正身也。（同上）

凡治氣養心之術，莫徑由禮。（同上）

故人莫貴乎生，莫樂乎生，所以養生安樂者，莫大乎禮義。（〈彊國禮〉）

這是認為人要修身養心，須以禮的實踐為基礎。荀子又說：

國家無禮則不寧。（〈修身篇〉）

國之命在禮。（〈天論篇〉）

君人者，隆禮尊賢而王。（〈天論篇〉、〈大略篇〉）

禮者，法之大分，類之綱紀也。（〈勸學篇〉）

上不隆禮則兵弱。（〈富國篇〉）

足國之道，節用裕民，而善臧（藏）其餘。節用以禮，裕民以政。（同上）

荀子認為：國家的命脈、法令的維繫、軍事的興衰、經濟的良窳，都視是否合乎禮而定。事實上，荀子將禮事為人類一切行為的標準，所以〈天論篇〉說：「表（標準）不明則亂。禮者，表也。」

從上引孔、孟、荀三家之言，我們知道儒家所謂禮，範疇極大，涉及形上學以外的所有範圍。依照傳統的分類，包括：吉（祭祀）、凶（喪葬）、軍（軍旅）、賓（賓客）、嘉（冠婚）五禮，用現存先秦禮書來說明，《儀禮．士虞禮》屬吉禮，〈士喪禮〉屬凶禮，《周禮．夏官》之一部分可視為軍禮，《儀禮．燕禮》屬賓禮，〈士冠禮〉、〈士婚禮〉屬嘉禮。而喪、祭二禮，尤為儒家所重視，在現存先秦漢代的禮書中，關於喪、祭的篇章也佔了相當大的比例。《左傳》成公十三年說：「國之大事，在祀與戎。」儒家在這方面，是承襲「固有文明」，但每賦予新的意義，如孔子答宰我問三年之喪，說：

子生三年，然後免於父母之懷。夫三年之喪，天下之通喪也。予也，亦有三年之愛於其父母乎？（〈陽貨篇〉）

荀子討論喪禮，也說：

禮者，謹於治生死者也。生，人之始也；死，人之終也。終始俱善，人道畢矣。故君子敬始而慎終，終始如一，是君子之道，禮義之文也。夫厚其生而薄其死，是敬其有知，而慢其無知也。……故死之為道也，一而不可得再復也。臣之所以致重其君，子之所以致重其親，於是盡矣……喪禮者，以生者飾死者也，大象其生以送其死也。故如事死如生，事亡如存（據郝懿行校），終始一也。（〈禮論篇〉）

這都是基於情感及報恩觀念立論的。又孔子說：

祭思敬。（《論語．子張篇》）

祭如在，祭神如神在。（〈八佾祭〉）

曾子說：

慎終追遠，民德歸厚矣。（〈學而篇〉）

《禮記》上說：

禮有五經，莫重於祭。（〈祭統〉）

惟祭祀之禮，主人自盡焉耳，豈知神之所饗？（〈檀弓上〉）

可見儒家重視祭禮，並不是因為迷信鬼神，而是強調情感的發抒及人倫的功用。總之，生死是大事，喪、祭之事又會觸動人類最深沉的情感，因此儒家格外的注重。

四、禮的本質

禮的範疇已如上述，而其儀文則頗浩繁，《禮記．禮器篇》說：「經禮三百，曲禮三千。」頗能形容。不過，儒家論禮、行禮，首重本質。禮的本質即是仁義，以仁義為前提行禮，才合乎禮意，不符仁義的儀節，則屬非禮，這觀念與上文所引女叔齊、叔向之言是一致的。孔子說：

人而不仁，如禮何？人而不仁，如樂何？（〈八佾篇〉）

君子義以為質，禮以行之。（〈衛靈公篇〉）

如果在特殊情況，本質與儀文無法兼顧，孔子認為應該注重禮意的表達，因為本質才是「禮之本」，〈八佾篇〉載林放問「禮之本」，孔子回答：

大哉問！禮，與其奢也寧儉；喪，與其易也寧戚。

由此可見，孔子認為行禮是要注重真性情的表達的。至於孟子，重視「禮之實」，所謂「實」，即「本質」，指的正是「仁義」（已見上引）。禮學大師荀子的主張亦然，〈大略篇〉說：

仁義禮樂，其致一也。君子處仁以義，然後仁也。行義以禮，然後義也。制禮反本成末，然後禮也。三者皆通，然後道也。

可見荀子主張仁義是禮之本，儀文是禮之末，「制禮反本成末」，也就是本質與儀文兼顧。

因此，掌握禮的本質，乃是禮學的精義。至於儀文，則可以與「時」推移，《禮記・禮器篇》說：「禮，時為大。」孟子也推崇孔子為「聖之時者也」。《論語・八佾篇》載子夏問詩義，孔子回答他「繪事後素」，子夏悟出「禮（案：指儀文）後乎」，孔子極為讚賞，正是嘉許子夏懂得「禮之本」。懂得「禮之本」，便能避免「禮之失」，《禮記・經解》說：

恭儉莊敬，禮教也。……禮之失，煩。……恭儉莊敬而不煩，則深於禮者也。

五、結語

總括上論，可知儒家認為禮是理性的產物，其範疇包括人倫的每個層面，本乎仁義，以外在的儀文「節制」人類的情欲，發揚人性的光輝，俾個人成為文質彬彬的君子，社會國家則和諧富強。而要收到這樣的宏效，就有待禮教了。

《孔孟月刊》第二十五卷第十二期（一九八七年八月），頁二十

儒家思想的古根源

一、前言

儒家思想是中國思想界的主流，其代表人物為孔子；因此研究孔子思想的內涵，可以說明儒家思想的根源及其後二千多年演變的趨勢。

儒家思想並非孔子所原創，孔子曾說：「述而不作，信而好古，竊比於我老彭。」[①]又說：「蓋有不知而作之者，我無是也。多聞，擇其善者而從之；多見而識之，知之次也。」[②]所謂「作」，指「原創」；孔子自稱他的言論主要承襲自古代，而不是自己的「原創」。這並非孔子謙虛或是「託古改制」，乃是記實；研究《論語》，可以證實這一點。孔子原以「知禮」著稱[③]，所謂「知禮」，指的自然是嫻熟古代傳承下來的禮儀；其後孔子用以教導學生的教材是「《詩》、《書》、執禮」[④]，這也是古代傳下來的文獻，其寫作年代，有的在孔子之前五六百年[⑤]。可見孔子的思想的確是植基於古代的，雖然有時有他自己的詮釋。如果我們分析孔子重要思想的內涵，以與其前的古文獻做一比較，尤其能夠說明上文的斷語。

二、孔子思想根源於古代

儒家極重視禮。王國維先生曾根據甲骨文及《說文解字》指出：「禮」字從「示」從「豊」，甲骨文「豊」字象二玉在器之形，所以豊乃盛玉以奉神人之器，而奉神人之事謂之禮。[⑥]簡言之，「豊」指禮器，「禮」指祭祀的禮文；當時所謂禮，範圍還很狹隘。到了周代，有思想的人士常指出行禮不當只講究儀節（禮文），更應重視禮的內涵（禮之本），

《左傳．昭公五年》記載：晉平公稱讚魯昭公「善於禮」，但大夫女叔齊不以為然，他認為魯昭公只是善於表面的儀節，而不能做到禮的實質。《左傳．昭公二十五年》記載：趙簡子向子大叔請教「揖讓周旋之禮」，子大叔回答：「是儀也，非禮也。」並指出符合倫理道德的行為才是禮。這兩個例子，顯示春秋時代的賢人主張：外在的儀節與內在的實質合而為一，才算合乎禮。值得我們注意的是，魯昭公時，正值孔子的青少年時期，其後孔子兼重「禮文」與「禮之本」[⑦]，說道：「禮云禮云，玉帛云乎哉？樂云樂云，鐘鼓云乎哉？」[⑧]又說：「人而不仁如禮何？人而不仁如樂何？」[⑨]又說：「能以禮讓為國乎，何有？不能以禮讓為國，如禮何？」[⑩]其言論與女叔齊、子大叔所言在精神上如出一轍，顯然，孔子的禮學思想，承襲自前人。

「孝」是孔子強調的德目，但不是孔子所創。「孝」字雖不見於甲骨文，但傳說殷高宗有太子孝己[⑪]，也許殷代已有此一觀念，只是尚未成熟。到了周代，「孝」字屢見文獻，金文如中師父鼎云：「其用享用孝于皇祖帝考。」郘遣簋云：「用追孝于其父母。」殳季良父壺云：「用享孝于兄弟婚媾諸老。」辛中姬鼎云：「其子子孫孫用享孝于宗老。」至於古籍資料如《詩．周頌．閔予小子》：「於乎皇考，永世克孝。」《詩．周頌．泮水》：「靡有不孝，自求伊祜。」《書．文侯之命》：「追孝于前文人。」分析以上的早期資料，孝的

①《論語．述而》。
②《論語．述而》。
③參考《史記．孔子世家》、《左傳》昭公七年。
④《論語．述而》。
⑤《詩．周頌》、《詩．大雅》、《書．周書》據信為周初著作。
⑥以上參《觀堂集林》卷六《釋禮》。
⑦《論語．八佾》。
⑧《論語．陽貨》。
⑨《論語．八佾》。
⑩《論語．里仁》。
⑪《荀子．性惡》：「曾、騫、孝己。」楊倞注：「孝己，殷高宗之太子；皆有至孝之行。」

意義，當指敬事尊長而言，並不止直系尊親屬。但《論語》中孔子論孝，則專指敬事父母而言，如說：「三年無改於父之道，可謂孝矣。」[12]答孟懿子問孝，說「無違」父母之意。[13]可見孔子對孝的詮釋，觀念上既有承襲自古代的成分，但也有自己個人的看法。其後《孝經》將孝的內涵大幅度擴張，就範疇的方面說，反而較接近古義。

「仁」是孔子認定的所有德目的總名。該字不見於殷代，但出現於《書》、《詩》、《左傳》、《國語》等文獻中，如《書．金縢》：「予仁若考。」所以可能是周代才興起的德目。孔子曾回答仲弓問仁，說：「出門如見大賓，使民如承大祭。己所不欲，勿施於人。在邦無怨，在家無怨。」[14]清儒阮元便指出這是直接承襲自《左傳》的言論，他說：「僖三十三年《左傳》晉臼季之言曰：『臣聞之，出門如賓，承事如祭，仁之則也。』孔子語本此。孔門師弟所述，半為古人之恆言。」[15]又，《左傳．襄公七年》載晉國韓穆子推崇其弟宣子「好仁」，並解說仁的含義是「恤民為德，正直為正，正曲為直，參合為仁」，亦即說仁包含了德、正、直三種德目，而這三個德目都為孔子所肯定，曾提到為政之道：「道之以德，齊之以禮，有恥且格。」[16]答季康子問政，說：「政者，正也。子帥以正，孰敢不正？」[17]又如：「人之生也直。」[18]再如：「直哉史魚！邦有道，如矢；邦無道，如矢。」[19]此外，《國語．周語上》載：「且禮所以觀忠、信、仁、義也，忠所以分也，仁所以行也，信所以守也，義所以節也。」《周語中》：「畜義豐功謂之仁，姦仁為佻。」又：「勇而有禮，反之以仁。」《周語下》：「仁，文之愛也。」又：「愛人能仁。」《詩．鄭風．叔于田》：「洵美且仁。」此處「仁」字的意思當為慈愛。以上對仁的詮釋，極為豐富，包含了義、愛等德目，並且都為孔子所吸收，如說：「君子喻於義，小人喻於利。」[20]答樊遲問仁說：「愛人。」[21]考察這些前人論仁的資料，顯示出孔子的確有所承襲。在孔子的觀念裡，仁是人的行為標準的總稱，從《論語》中觀察，孔子所謂仁，除了上文所舉以外，還包括忠、恕、智、信、恭、敬、勇、剛等等，甚至包括維護傳統文化，所以孔子許管仲為仁[22]；亦即孔子強調仁乃人之所以為人者，所以後人有「仁，人也」[23]、「仁也者，人也」[24]及「仁者，人也」[25]之說。總括上文，可見仁是傳統的觀念，到了孔子，擴大其內涵，有時更賦予新意義；且為後人繼承發揚。

以上的例證，自然不能含蓋孔子的全部思想，然而舉一反三，已足以說明孔子思想與古代傳統的關係了。

三、孔子賦予傳統以新的意義

上文曾指出孔子思想雖然根源於古代，但也有個人的看法；本節再加申明。

孔子是淵博的學者，他對古代學術，廣泛地學習，曾說：「夏禮，吾能言之，杞不足徵也。殷禮，吾能言之，宋不足徵也。文獻不足故也；足，則吾能徵之矣。」[26]但孔子對古代文化，在比較後有所衡量抉擇，曾說：「周監於二代，郁郁乎文哉！吾從周。」[27]又說：「麻冕，禮也；今也純，儉，吾從眾。」[28]可見孔子並不一味貴古薄今。而當回答顏淵請問治國措施時，他說：「行夏之時，乘殷之輅，服周之冕，樂則韶舞。放鄭聲，遠佞人；鄭聲淫，佞人殆。」[29]這種對三代各有去取的言論，足證孔子對於古代傳統抱持的是去蕪存菁的態度，也就是「多聞，擇其善者而從之」。

⑫《論語．里仁》，又見《學而》。
⑬《論語．為政》。
⑭《論語．顏淵》。
⑮見阮元《揅經室一集》卷八《論語論仁論》。
⑯《論語．為政》。
⑰《論語．顏淵》。
⑱《論語．雍也》。
⑲《論語．衛靈公》。
⑳《論語．里仁》。
㉑《論語．顏淵》。
㉒《論語．憲問》。
㉓《孟子．滕文公下》。
㉔《孟子．盡心下》。
㉕《禮記．中庸》。
㉖《論語．八佾》。
㉗《論語．八佾》。
㉘《論語．子罕》。
㉙《論語．衛靈公》。

尤可注意的是，孔子能重新詮釋傳統禮儀，使其重現活力。如服父母喪三年一事，其起源或許很早，但到了春秋時代，一般人對其禮意已無法提出令人滿意的解釋，甚至無法想像其必要性，以至於孔子的學生宰我都想將之簡化為一年。孔子則提出報恩的理論加以詮釋，他認為「子生三年，然後免於父母之懷」[30]，因此子女居父母喪也需三年，以示報恩。其詮釋深刻而合乎情理，因此後代廣泛遵行。

對傳統重新詮釋，使它具有新的生命力，是儒學發展史上重要的現象，所以研究孔子以及後世儒家的思想，在重新詮釋傳統方面的發展，也是不容疏忽的。

四、結語

孟子讚美孔子為「集大成」，所謂「集大成」[31]，自然是集傳統文化的大成。上文的舉證，足以證實孔子「好古，敏以求之」[32]，廣泛研究傳統學術，並予以去取、整合、詮釋，從而構成一個傑出的體系。所以孔子說：「文王既沒，文不在茲乎？天之將喪斯文也，後死者不得與于斯文也；天之未喪斯文也，匡人其如予何？」[33]換句話說，孔子主張「祖述堯、舜，憲章文、武」[34]。受到孔子的影響，後世儒家雖在不同層次上有理論上的開拓，但大體上都以傳統文化為立論的依據，而不切斷與傳統的關連；這就是為什麼中國儒學史能夠長達兩千多年的原因。因此，研究儒家思想，其古代的根源是必須重視的。

（葉國良整理）

㉚《論語．陽貨》。
㉛《孟子．萬章下》。
㉜《論語．述而》。
㉝《論語．子罕》。
㉞《禮記．中庸》。

演講

先聖孔子的事蹟及其學說

諸位先生：

今天我所要講的題目是「先聖孔子的事蹟及其學說」。諸位都知道，孔子是我國歷史上最偉大的思想家，他對於當時的政治、經濟、軍事、教育以及社會倫理道德，都曾提出許多見解和主張，而這些見解和主張對於後代的影響太大了，它一直是我國思想體系的中樞。數千年來，在上者，其施政方針，都努力於達成孔子的政治理想；在下者，其修身處世，也以孔子的聖人境界為指標。因此，孔子的學說思想自從兩漢以來，便為學者所熱烈討論，且極力推崇發揚光大；其著論立說見諸繁篇累牘的，更是指不勝屈。尤其諸位都是孔孟學會的會員，皆以發揚孔孟思想為職志，對孔孟學說必有精闢的見解和獨到的研究，實不用兄弟在這裡饒舌了，兄弟今天所以不揣固陋，敢在諸君面前發為議論的，只是想拿區區管見，就正於諸君而已。

一、孔子的家世及其生平

在未談到中心題旨以前，我想對於孔子的先世、生平和他所處的時代，先作個簡略的敘述，藉此或可幫助我們對孔子學說思想的瞭解。從孔子自己所說的「而丘也殷人也」以及〈孔子世家〉的記載，我們知道其先世是宋人，當然是殷遺民。他的曾祖父叫孔防叔，祖父叫伯夏，父親叫叔良紇。《史記索引》所引的《家語》更謂孔子是宋微子之後，由此給孔子立了很詳細的家譜：「孔子，宋微子之後，宋湣公生弗父何，以讓弟厲公。弗父何生宋父周，父周生世父勝，勝生正考父（即孔父嘉，為宋大司馬）。五世親盡，別為公族，姓孔氏。孔父生子木金父，木金父生睪夷（或作祈父，又作皋夷父）睪夷生防叔，畏華氏之逼而奔魯，故孔氏為魯人」。從這個家譜看來，我們知道孔子有一個很好的家世。據《小戴禮記·檀弓篇》，孔子的母親名徵在；〈世家〉謂「母顏氏禱於尼丘（尼山在曲阜城東南六十里）得孔子」，時當魯襄公二十二年（周靈王二十一年，西元前五五一年）。《史記》不言明月份，《公羊傳》作襄公二十有一年十一月，《穀梁傳》則作十月。為此孔子的誕生年月，便也成了歷來學者糾葛莫解的懸案。我們現在定孔子的誕辰九月二十八日為教師節，是根據程發軔先生的推算（見中央日報，四十一年九月二十八日孔子誕辰換算為國曆九月二十八日之說明）。至於孔子逝世的年月日，據《春秋》經，為「魯哀公十有六年四月己丑」（當周敬王四十一年，即西元前四七九年），那是沒有什麼疑問的，如此孔子享年七十有三（據《史記》）。在他那七十餘年的生命裡，正是史上所稱的春秋時代，那是個大轉變的時代，也是極矛盾的時代。在政治社會方面，傳統的法紀已在動搖，已在破壞，「臣弒其君者有之，子弒其父者有之」（《孟子·滕文公篇》）這豈不是說明了當時社會已步入無法無天的局面了嗎？而「禮樂征伐自天子出」的盛世，從此也只能求之於夢寐了。於是乎，諸侯交戰，風塵滾滾，無有寧日；大夫秉政，爭權奪利，傾軋不止。而這時的中下階層也極想抬頭了，因為王侯欲富國強兵，唯才是用，貴族為之逐漸沒落，便開了處士橫議，布衣卿相之局了。由於這個轉變，人們的思想也開始真正的覺醒，過去桎梏靈性，阻礙進步，「唯天是命」的傳統觀念，逐漸受到懷疑，終於被否定了。史嚚說：「國將興，聽於民；將亡，聽於神」（莊公三十二年）。子產說：「天道遠，人道邇，非所及也，何以知之」（昭公十八年）？仲幾說：「薛徵人，宋徵於鬼，宋罪大矣」（定公元年）。像這種態度，和孔子的「敬鬼神而遠之」、「子不語怪、力、亂、神」的觀點是相同的，也就是他們都認識了以人為本位的重要性，對於鬼神都起了懷疑，甚至認為一味信鬼神，非「罪」即「亡」了。孔子在這個思想動盪的時代裡，受到周遭的影響是免不了的，但是他的可貴處，是在他獨到的見解。他一生栖栖遑遑，周遊列國，希望能夠實現他的理想。他因為出身貧賤，又曾經做過委吏、乘田的賤役，因此對於人生的體驗很深，所提出來的主張都能切中時弊而趨於久遠的理想。看他為魯國的中都宰、司空、大司寇，稍能展露手足的時候，便能把魯國治理得有條不紊，為之強盛起來，驚動了鄰國。而當他明瞭「道不可行」以後，他又能靜下心來從事整理典籍的工作，給我們後世貽福不少。他平時教導弟子，由弟子筆記下來的語錄——《論語》一書，更是我們研究孔子學說思想的最大寶庫。底下且略述孔子的學說思想。

二、孔子的學說

我們知道孔子的思想是極其體大思精的，其一貫性是不容割裂的。但是為了敘述方便起見，姑且分為下列數端略論之：

（一）正名主義：

正名是孔子為矯正時弊的主張，也是他政治思想的根本。當時正是齊國陳桓（無宇。陳乞之父，陳恆之祖）以大夫制齊，魯國昭公為季氏所逐奔齊的時候，所以孔子積極主張君臣要正名定分，為的要恢復舊有的政制，使社會有安定的力量。《論語．顏淵篇》說：

> 齊景公問政於孔子。孔子對曰：「君君、臣臣、父父、子子。」公曰：「善哉！信如君不君，臣不臣，父不父，子不子；雖有粟，吾得而食諸？」

又孔子在衛國的時候（哀公二年），靈公死，立其孫輒為君，可是他的太子蒯聵流亡在外，晉國欲納之為君，輒亦不讓，乃形成父子爭國的局面。孔子的弟子冉有、子貢想試探老師對於這個時事所採取的態度，便旁敲側擊的去請教孔子。〈述而篇〉說：

冉有曰：「夫子為衛君乎？」子貢曰：「諾，吾將問之。」入曰：「伯夷叔齊何人也？」曰：「古之賢人也。」曰：「怨乎？」曰：「求仁而得仁，又何怨？」出曰：「夫子不為也。」

伯夷、叔齊為孤竹君之二子，父欲立叔齊；父卒，叔齊讓伯夷，伯夷以非父命不受，叔齊亦不肯立，皆亡。像這樣兄弟讓國和父子爭國，正成強烈對比。孔子既贊成夷齊之讓，當然反對蒯、輒之爭了。但是，子路似乎不明這個意思，因此又和孔子討論起來。

子路曰：「衛君待子而為政，子將奚先？」子曰：「必也正名乎？」子路曰：「有是哉！子之迂也，奚其正？」子曰：「野哉由也！君子於其所不知，蓋闕如也。名不正，則言不順；言不順，則事不成；事不成，則禮樂不興；禮樂不興，則刑罰不中；刑罰不中，則民無所措手足。故君子名之必可言也，言之必可行也。君子於其言，無所苟而已矣。」（〈子路篇〉）

這不是明明指出蒯、輒二人，既然無父子之倫，又乖君臣之義嗎？像這樣滅倫背義的苟當，孔子避之猶恐不及，怎還會側身其間呢？所以他特於此際標出「正名主義」來。因為倘使君臣之分不正，父子之倫不明，必是個混淆的世界，那還談得上政治上軌道、老百姓安居樂業呢？孔子的正名主義，應當是終結於政治目的的。他要人人在名實相合、條理秩然的情況下，興盛國家，安樂百姓。因之他要扶持那做為魯國正統，為夫子及列國所承認的執政者魯君，來削除跋扈的三桓。而當他聽到陳恆（成子）弒齊簡公的消息時，便鄭重其事地沐浴請討（〈憲問篇〉），可見孔子的正名主義是見諸實際行動的。

（二）經濟政策：

這是孔子政治思想中，所以富國富民的理論。孔子是主張人民應當各有其財富的，而對於政府的橫徵暴斂，則絕對反對。因之，他認為為政首在富民。〈子路篇〉說：

子適衛，冉有僕。子曰：「庶矣哉！」冉有曰：「既庶矣。又何加焉？」曰：「富之。」曰：「既富矣，又何加焉？」曰：「教之。」

一個國家雖則有了眾多的人民，倘不能使人人富足，或是貧富懸殊，以致哀鴻遍野，那麼非但不足以言強盛，反而是造成混亂的根源。所以孔子雖僅以「富之」二字言之，但其用意是很深的。冉求為季氏宰，不但不從富民上著想，卻反而幫著季氏搜刮老百姓，難怪孔子要勃然大怒地說：「非吾徒也！小子鳴鼓而攻之，可也」（〈先進篇〉）。可是像有若這樣的學生，就可說是得孔子真傳的大弟子了。他對哀公之問，顯是根據他老師的主張而作具體的議論。〈顏淵篇〉說：

哀公問於有若曰：「年饑，用不足，如之何？」有若對曰：「盍徹乎？」曰：「二，吾猶不足，如之何其徹也？」對曰：「百姓足，君孰與不足？百姓不足，君孰與足？」

「徹」是古時田稅的名稱，通盤計算，取十分之一的意思。魯國本來也是行「徹」制的，但自定公十五年初稅畝，田稅已經十分取二了。所以哀公說：「二，吾猶不足，如之何其徹也。」有若真對答得好，而這種以民為本位的思想，後來的《孟子》及〈中庸〉更加以發揚光大。我國歷來為政者，凡能師其意的，沒有不受到社會的令譽及歷史的好評。

（三）軍事主張：

孔子對於軍事當然不贊成窮兵黷武，他認為部隊要經過嚴格的訓練，倘以「不教民戰」，那麼豈不和拋棄老百姓一樣嗎？戰爭是不得已的事，但是一旦國家橫遭侵略，民族慘受欺凌的時候，人人必要奮起為正義而戰。《禮記．檀弓篇》和《左傳》哀公十一年都記載魯國汪踦的事。當齊兵勢凌威逼，魯人股慄畏縮之際，而汪踦以一童子奮勇當先，雖不幸殉國，但士氣為之鼓舞，雪恥之志頓起，終能轉敗為勝。魯人感汪踦之景行，不言可喻，因不欲以「殤禮」來葬他，乃請教於孔子。孔子答得很乾脆：「能執干戈以衛社稷，雖欲無殤也，不亦可乎？」因為像這樣的節烈之士何妨破例優恤呢？軍事是用來保衛國家，以防不測的，所以孔子又說：「有文事者，必有武備」（〈世家〉）。而子貢問政，孔子便也把「足兵」列為從政的要項之一了。

（四）道德觀念：

道德修養實在可以說是孔子學說思想的基本要義。因之，孔子在道德方面談得最多、最仔細；所期待於人們的，也最為殷切。以下且就個人品德、倫理道德兩方面加以說明。在個人品德方面，我們以仁道為基礎；在倫理道德方面，我們以孝為根本。

我們知道仁是孔子理想上做人為最高準則，「仁者人也」，即是說凡稱得上人的，都要具有仁道，而孔子所最稱述的聖人：堯、舜、禹、湯、文、武、周公，其實也只是君子行仁的極致而已。我們假使仔細體會《論語》一書的要義，不難發覺，在孔子的心目中，仁是他的哲學基礎，是統攝諸德，兼容並包的。也就是它可以包括孝（宰我問三年喪——〈陽貨篇〉）、忠（殷有三仁——〈微子篇〉）、智（未智，焉得仁——〈公冶長篇〉）、勇（仁者必有勇——〈憲問篇〉）、禮（克己復禮為仁——〈顏淵篇〉），以及恭、寬、信、敏、惠（能行五者於天下為仁矣——〈陽貨篇〉）諸德性的，我們於個人品德修養上假如能做到像孔子期望於顏淵的「克己、復禮」的話，應當是差不多了。因為：「士志於道。志士仁人無求生以害仁，有殺身以成仁」（〈衛靈公〉篇）。「剛毅、木訥近仁。」「訥於言而敏於行」（〈子路篇〉）。「博學而篤志，切問而近思，仁在其中矣」（〈子張篇〉）。「己所不欲，勿施於人」（〈顏淵篇〉）。像以上這些涵養，都是從克己的工夫著手的。而克己的工夫到家後，必能使自己的視、聽、言、動合乎禮節。若人人如此，天下豈有不歸仁的嗎？此外，我在這裡還特別標出來的便是「直道」。「直」就是「內不自欺，外不欺人」的修養，孔子也是屢屢言之的，〈雍也篇〉說：

人之生也直；罔之生也幸而免。

又〈衛靈公篇〉說：

直哉史魚！邦有道如矢，邦無道如矢。

史魚雖生不能進蘧伯玉而退彌子瑕，但死而能以尸諫，其道如矢，故孔子那麼讚美他。又〈公冶長篇〉說：

子曰：「孰謂微生高直？或乞醯焉，乞諸其鄰而與之」。

微生高素有直名，但孔子卻不以為然。因為若以直衡之，有就有，沒有就沒有，何必向鄰人討了醋來，再轉贈給來討醋的人呢？像這樣便是矯情，以無為有，不免欺人而自欺了。這和「巧言、令色，足恭」的鄉愚有什麼不同呢？但是「直道」有時也因倫理道德的觀念而有所變通的，〈子路篇〉說：

葉公語孔子曰：「吾黨有直躬者，其父攘羊，而子證之。」

孔子曰：「吾黨之直躬者異於是：父為子隱，直在其中矣」。

「父為子隱，子為父隱」，表面上看起來好像不合乎直道，但是父子乃天倫之至高者，人情之至真者，父有隱惡，子必不忍外揚；子有隱私，父亦必為之諱，這是人情之常，出於最基本的純真之心。若此，父子相隱，便是「直道」了。否則，便是不情，便有沽名釣譽之嫌，反而不合乎人情，所以也就是「不直」了。

個人的道德修養，如能向上面所述，大抵是夠了。而自身修養得好了以後，才能談上接人待物的道理。接人待物之道，據我看來，不外「忠、恕」兩字而已。朱子說「盡己之謂忠」，也就是誠心誠意的待人，絲毫不存巧詐之機。至於恕，便是所謂「推己及人」了。「推己及人」，說明白些，就是「己所不欲，勿施於人」，這也是仁者的存心，發為接人待物而已。所以說「忠恕之道」就是孔子所謂的「一貫之道」。「忠」在《論語》裡每和「信」連文，也可見「忠」是包括「信」的。大抵說來，忠是存於內心的誠，信是達於外表的誠，忠信其實就是個「誠」字。〈衛靈公篇〉說：

子曰：「言忠信，行篤敬，雖蠻貊之邦行矣；言不忠信，行不篤敬，雖州里行乎哉？」

又〈顏淵篇〉說：

子曰：「主忠信，徙義，崇德也。」

此外，孔子還特別強調「信」的重要性。〈為政篇〉說：

子曰：「人而無信，不知其可也。大車無輗，小車無軏，其何以行之哉？」

又〈顏淵篇〉說：

子貢問政。子曰：「足食、足兵、民信之矣。」子貢曰：「必不得已而去，於斯三者何先？」曰：「去兵。」子貢曰：「必不得已而去，於斯二者何先？」曰：「去食。自古皆有死，民無信不立。」

一個人假如中心不誠，食言而肥。那麼便像大車無輗，小車無軏那樣，是要處處行不通的。信，對個人的重要如此，若以之衡為政，那麼信更是駕乎足食、足兵之上，因為自有歷史以來，沒有一個不受老百姓信仰的政府而能長治久安的。如此，為政者能不戒慎嗎？

其次談到倫理道德這一方面。所謂倫理，廣義來說，就是人類道德的原理。具體一點說，就是《孟子．滕文公篇》的「父子有親，君臣有義，夫婦有別，長幼有序，朋友有信」

的人倫，這五倫關係著君臣、父子、夫婦、長幼、朋友相處的常道。這常道運行不悖，人類才能在安定中求幸福、求進步。關於君臣相處之道，孔子說：

君使臣以禮，臣事君以忠（〈八佾篇〉）

又〈學而篇〉說：

有子曰：「其為人也孝弟，而好犯上者，鮮矣！不好犯上，而好作亂者，未之有也。君子務本，本立而道生；孝弟也者，其為仁之本與」？

〈為政篇〉說：「孝慈則忠」。俗話說：「忠臣必出自孝子」。就是這個意思。因為一個能孝順父母，友愛兄弟的人，必能敬仰其長上，忠愛其國家。這和〈為政篇〉的：「《書》云：『孝乎唯孝，友於兄弟，施於有政』，是亦為政也。奚其為為政」的意義是相同的。也就是說，倘以孝弟為政的話，那麼政本人倫，國家的政治必能走上軌道。此外，「仁者，人也；親親為大」（《中庸》），「仁之實，事親是也」（《孟子．離婁篇》上），也都說明了行仁的根本。孔子在《論語》裡，對於人子應如何以孝弟事奉父母，也從各種角度來論說：

孟懿子問孝，子曰：「無違。」樊遲御，子告之曰：「孟孫問孝於我，我對曰：『無違』」。樊遲曰：「何謂也？」子曰：「生事之以禮；死葬之以禮。祭之以禮。」（〈為政篇〉）

孟武伯問孝，子曰：「父母唯其疾之憂。」（〈為政篇〉）

子游問孝，子曰：「今之孝者，是謂能養。至於犬馬，皆能有養。不敬，何以別乎」？（〈為政篇〉）

子夏問孝，子曰：「色難」。（〈為政篇〉）

這都是行孝的一端，是孔子因材施教的方法。孝，主要在於意誠，意誠則能先意承志，事之以禮，以盡父母之歡，故曰「無違」，故曰「色難」。倘所謂孝僅止於能養，那又和飽養犬馬有什麼區別呢？所以《中庸》的作者便根據孔子孝的觀念，推而廣之，提出了所謂「大孝」：

舜其大孝也與？……富有四海之內，宗廟享之，子孫保之。

這是說舜以孝而自己能夠富貴，宗廟以享其祖先，子孫又能以孝保其社稷，那麼其孝便不止於其身，而綿衍於萬世了。這樣就是舜能稱作大孝的緣故。竊又以為這或許也是後儒「以孝治天下」之所本吧！

以上，可說都是社會倫理道德的基本。但一件好的事情，如果運用不得其當，不得中道，不能算是完美的行為。不過，想使行為完美，必須樹立一個標準；這個標準，就是孔子所說的「禮」。

禮，本來是宗教儀式中祀神之事，而儒者原是極重祭祀的。禮，又是社會中最有秩序的行動。推而廣之，凡有秩序的事，都可叫禮；而維持這個秩序的，也可叫禮。禮的意義本來甚廣（見專篇，《民主評論》一卷三期），這裡我們單就倫理道德方面來說。《論語·泰伯篇》有這樣的話：

恭而無禮則勞，慎而無禮則葸，勇而無禮則亂，直而無禮則絞。

這是說恭、慎、勇、直，本是美德，但不合禮，流弊就出來了。禮，也是孔子政治主張的極致，所以說「導之以德，齊之以禮」。在《禮記》中，禮為「節文」之用，使一件事無過與不及之弊；孔子這一節的話，大概也是這個意思。另外，關於政治、社會規範、宗教的儀節，已詳專文，這裡不再談它。

三、孔子的人格修養

這裡我們就孔子個人生活修養的實踐來談談。孔子雖然終日栖栖遑遑，但是安貧樂道。

所以說：

飯疏食飲水，曲肱而枕之，樂亦在其中矣；不義而富且貴，於我如浮雲。（〈述而篇〉）

富而可求也，雖執鞭之士，吾亦為之；如不可求，從吾所好。（〈述而篇〉）

這是孔子自述他的澹泊明志之懷。不過，他並不菲薄富貴；他只是認為，富貴須以義得之，否則僥倖得來的富貴，他是不接受的。所以他說：

貧與賤是人之所惡也；不以其道得之，不去也。富與貴，是人之所欲也；不以其道得之，不處也。（〈里仁篇〉）

這可看出他對富貴貧賤的一種態度，可以說是近乎人情，毫無矯揉造作的不正常的心理。他對利祿既不縈於懷，所以他處世待人，也純以客觀為出發點，沒有意氣用事的地方。

他自己是：

子絕四：毋意，毋必，毋固，毋我。（〈子罕篇〉）

他又說自己是：

無適也，無莫也，義之與比。（〈里仁篇〉）

正因為他有高深的修養，並不忌諱自己的那些世人眼中的短處和錯處。他說：

吾少也賤，故多能鄙事。（〈子罕篇〉）

子曰：「丘也幸，苟有過，人必知之。（〈述而篇〉）」

這種態度，真是光朗開明，也足見他的襟懷之大，修養之深了。

孔子不但富於德性的修養，並且是陶冶在真感情中，所以才有「吾與點也」（〈先進篇〉）之歎。他還對音樂有極深的了解。〈述而篇〉說：

子在齊聞韶，三月不知肉味。曰：不圖為樂之至於斯也。

這可見孔子雖是主張繁文之禮，但必須不違背真情；孔子的「禮」論，就是基於這點出發的。如果二者不可得兼，他寧可去外之繁文，而存內之真性。這一點，我們上文已談論到了。

四、孔子教學的方法和他的教育目的

春秋時代以前，一般平民是沒有受教育的機會的。可是孔子普遍教授生徒，所以各色人等，都成了他的弟子，共有三千人，而身通六藝的，有七十二人（見《史記．孔子世家》）。這真是創造了中華民族一般庶民受教育的機會。

孔子所用以教學的，都是古代的典籍，包括《易》、《書》、《詩》、《禮》、《樂》、《春秋》。孔子自己說「述而不作」（〈述而篇〉），他是以承先啟後為己任的。除了書本的教學外，孔子更注意個人的品德的修養；雖然要「博文」，卻也要「約禮」（〈顏淵篇〉）。所以《論語》上記孔子教授弟子，多和品德有關。就算「學詩」「學禮」（〈季氏篇〉），也不全在文字、歷史的研究，而是更注意它的立身、行事方面的啟發。所以孔子說：「不學詩，無以言」。又說：「不學禮，無以立」（同上）。至於積極地修養品德，倒不僅是要在社會上做一個好人；最後的目的，是在從政方面的，也就是「仕而優則學，學而優則仕」（〈子張篇〉，子夏語）。這從孔子所說的：「學也祿在其中矣」（〈衛靈公篇〉），也可以看出來。

孔子在教學的方法，不但是「因材施教」，而且注重個人的啟發。所以弟子同時間一種學問，而孔子給他們的解答，各有不同。比方說上文所引〈為政篇〉論孝，同是問一孝道，可是回答的，就各不同。又如「司馬牛問仁，子曰：『仁者，其言也訒』」（〈顏淵篇〉）。「顏淵問仁，子曰：『克己復禮為仁』。」「仲弓問仁，子曰：『出門如見大賓，使民如承大祭，己所不欲，勿施於人。在邦無怨，在家無怨』」（同上）。「樊遲問仁，子曰：『愛人』」（〈子路篇〉）。同是問仁，所答又都不同。其他的例子也多半如此。這是為什麼呢？就是孔子要因其所問，在問題的範圍內，糾正弟子過失的緣故；這正是所謂的「因材施教」。又〈述而篇〉說：「不憤不啟，不悱不發。舉一隅，不以三隅反，則不復也。」由這段話也可見他也是多麼注重個人的啟發！

五、孔子的抱負

孔子自以為負有拯救當世的責任，而這個責任，實在是出於天之所命，他本身則當為「懸記」之應，所以他說：

> 文王既沒，文不在茲乎？天之將喪斯文也，後死者不得與於斯文也。天之未喪斯文也，匡人其如予何？（〈子罕篇〉）
>
> 天生德於予，桓魋其如予何？（〈述而篇〉）

可是後來，他眼看無法實現理想了，不禁歎道：

> 甚矣，吾衰也，久矣吾不復夢見周公。（〈述而篇〉）

又以傳說中有「瑞應」之事，而始終不見，他又歎道：

> 鳳鳥不至，河不出圖，吾已矣夫！（〈子罕篇〉）

孔子這種抱負，雖到底未能見行於世，不過他對於幾千年中國文化的影響，實在是至深且鉅的。

六、孔門弟子對孔子的讚頌

孔門弟子，對於老師，時時加以讚頌，這是由於心悅誠服，而非故作無謂的頌仰。〈子罕篇〉說：

顏淵喟然歎曰：「仰之彌高，鑽之彌堅，瞻之在前，忽焉在後，夫子循循然善誘人，博我以文，約我以禮，欲罷不能，既竭吾才，如有所立卓爾，雖欲從之，末由也已」！

這雖是就孔子教誨誘掖後學來說的，但孔子人格、學識的博大高深，也可看出一個梗概。《孟子．滕文公篇上》說：

曾子曰：「江漢以濯之，秋陽以暴之，皜皜乎不可尚已」！

這是曾子以江漢、秋陽比孔子，意思是說弟子受業孔門，如濯於江漢，暴於秋陽。而以江漢、秋陽相比，意猶未盡，所以又用盛德之皜皜來相喻。曾子的話，和子貢讚頌孔子類似；《論語．子張篇》說：

仲尼，日月也。無得而踰焉。人雖欲自絕，其何傷於日月乎？

日月，是比擬孔子的。

孔子一生最佩服的古來中國的君主是堯舜，可是弟子們有的覺得老師比堯舜還要高些。《孟子．公孫丑篇上》，載著宰我的話說：

以予觀於夫子，賢於堯舜遠矣。

更進一步。子貢和有若，不但認為孔子賢於堯舜，並且是自有人類以來，就沒有過像孔子這類的人物：

子貢曰：「見其禮而知其政，聞其樂而知其德，由百世之後，等百世之王，莫之能違也。自生民以來，未有夫子也。」（《孟子．公孫丑篇上》）

有若曰：「豈惟民哉！麒麟之於走獸，鳳凰之於飛鳥，泰山之於丘垤，河海之於行潦，類也；聖人之於民，亦類也。出乎其類，拔乎其萃。自生民以來，未有盛於孔子也」。（同上）

子貢的見解，雖是著眼於知的方面，與顏淵不同，但景仰敬佩之情卻是一樣的。宰我、子貢、有若三個人對老師的讚頌，據孟子說，是有他們的客觀立場的。孟子說：

> 智足以知聖人，汙不至阿其所好。（《孟子．公孫丑篇上》）

我想孟子這個批評，大致是可靠的，這也是從漢代以後，以孔子為神的觀念的起源。

七、結論

上面對於孔子的學說思想，以及和孔子有關的一些問題，拉雜的說了許多。總之，孔子的學說，是從本身確實做起，那麼就要以「克己復禮」修身，以「忠恕」待人，然後才能博大胸懷，推而廣之，「己欲立而立人，己欲達而達人」，「窮則獨善其身，達則兼善天下」了。謝謝各位。

孔孟學會第三十二次論語研究會紀要

日期：中華民國五十五年二月六日上午九至十一時
地點：台北市南海路四三號中央圖書館
出席者：

諶志立　查良釗　蘇瑩輝　錢韙男　胡　霖　曾永義　周幹才　周克和
袁蜀君　焦國寶　劉德漢　鄧　良　裘呈祥　曹耀元　劉文獻　李國甫
高師俊　張開龍　郞信寶　黃得時　刑　翔　錢中動　張　逸　時錫箴
蕭連潤　劉克傑　黃承鼎　張福華　楊永英　黃漢愚　柳玉振　徐克清
王葆仁　劉　真　孔德成　苗中英　楊　蘇　葉培馨　林清波　魏運約

許桂富　應星耀　柳嶽生　陳大齊　魏汝霖　楊一峯　何智雄　朱承言
崔也明　董連登　石堅民　唐卓羣　邱恕鑑　焦翠英　丁　迪　邱衍文
張清徽　楊　靖　林培昌　顧季勤　許有仙　孫寶琛　王盛濤　楊一端
俞吉蒸　王　富　程發軔　唐　龍　周開福　馬永濤　胡棨昌　周岱生
陳武宗　龔光愷　王鈞章　曹景文　李蔭田　林梓中　姜春華　郝伯毅
何定生　張民權　范直昌　汪一杭　王香國　項蘭孫　楊　浩　墨文藻
劉雨亭　楊桂森　張　照　陳澄輝　雷　殷　婁式林　董仲伯　林天華
劉芹喜　宋錫正　高思謙　宋豫漢　成惕軒　李建白　孔德仁　吳嘉希

主講：孔德成

研究意見：楊一峯

孔子學說與世界和平

孔子政治思想的全部出發點，乃根源於他的人生哲學。孔子學說一向以闡明人類現世生活的理法為中心，因此對於後世的影響特別大。我國自始即以政治與倫理相結合，倫理一直是政治的原動力，所謂「天下之本在國，國之本在家。」這就是完全著重於家族的倫理觀念。而儒家有關政治的理論，也都以倫理為出發點，因此，其影響所及，我中華民族固有之精神，幾全以倫理為依歸。儒家人生哲學又全以「仁」為中心，孔子言「仁」，幾無所不包，凡宇宙政教有關之種種，皆可入其範疇。離「仁」則一切行事均失其依據。故孔子所謂的「仁」，乃是統攝諸德，完成人格之名。所謂「仁者，人也。」正說明了「仁」的概念與「人」的概念相函。換句話說，「仁」就是人格的表徵。儒家言「仁」與墨家不同，但其終極理想，則同為一種完滿的世界。墨家主張「兼愛」，其全部精神在於達成「兼相愛」之社會理想。而儒家之「仁」則有等差，仁愛之心，必須以吾身為中心，然後由親而疏，由近及遠，正如孟子所說：「仁者以其所愛，及其所不愛。」而其最終理想，即在希望人人能擴大其仁愛之心，以至於極致之境，完成所謂「大同之世」。由此說來，孔子所謂仁的真義，即是一種同情心，仁愛就是這種同情心的真性情的流露。因為「仁」的中心點為慈愛，所以「仁」為一切倫理的根本。

其次，孔子的人生哲學，又是由「孝弟」擴大及於「忠」「恕」，由「忠」「恕」達到圓滿地位之「仁」的世界。所謂「孝弟」「忠恕」，在孔子的觀念裡，乃是人類結合的根本要素。《論語．學而篇》孔子說：

> 弟子入則孝，出則弟，謹而信，汎愛眾而親仁，行有餘力，則以學文。

依孔子之意，乃是以「孝弟」為倫理實驗的初步，希望由直接血統關係，推廣及於間接血統關係，更逐漸而普及於全體之人類。故《孝經》說：「孝，德之本，教之所由生也。」至於「忠」「恕」，則是達成「仁」德的方法。《論語．雍也篇》：

> 子貢曰：「如有博施於民而能濟眾，何如？可謂仁乎？」子曰：「何事於仁？必也聖乎！堯舜其猶病諸！夫仁者己欲立而立人，己欲達而達人，能近取譬，可為仁之方也已。」

《論語．顏淵篇》又說：

> 仲弓問仁。子曰：「出門如見大賓，使民如承大祭。己所不欲，勿施於人。在邦無怨，在家無怨。」

「為仁之方」在於「能近取譬」，就是說為仁的方法在於推己及人。「因己之欲，推以之人之欲。」即「己欲立而立人，己欲達而達人。」這就是所謂的「忠」，也就是盡己為人的工夫。「因己之不欲，推以知人之不欲。」即「己所不欲，勿施於人。」就是所謂的「恕」。「忠」「恕」就是實踐「仁」的工夫。由此可知，「孝弟」可謂「仁」之起點，而「忠恕」便是行「仁」的過程。「孝弟」即求表現人類倫理的天性，人能了解此一倫理天性之重要，方能進一步以「忠恕」來擴大此一基礎，為人類全體之幸福而努力，故孔子說：「孝慈則忠」，其真義即盡己之力以謀社會人類幸福之意。

由孔子的倫理思想，可知儒家的政治哲學，乃是由其基本的倫理觀念產生而出。根據孔子的人性的政治觀，則其關於政治方面的主張，可歸納為下列之三項：

一、正名主義

正名主義為孔子學說之中心問題。蓋當時世衰道微，諸侯放恣，處士橫議，正是「臣弒其君有之，子弒其父有之。」的時代。孔子以為欲改造當時的政治，「撥亂世而反之正」，當以「正名」為第一要著。正名所以定分，使天子、諸侯、大夫、陪臣、庶人，各能循名以責實，素位而行事，這就是孔子在當時維繫宗周制度的根本辦法。故子路問：「衛君待子而為政，子將奚先？」孔子回答說：「必也正名乎！」（子路篇）正名旨在尊重名分，乃施政之根本，孔子解釋正名的理由說：「名不正，則言不順。言不順，則事不成。事不成，則禮樂不興。禮樂不興，則刑罰不中。刑罰不中，則民無所措手足。」（子路篇）故孔子主張：「君君臣臣，父父子子。」使為君臣父子者，均能各守名分，不相侵犯，則政治社會秩序，才能確立。

二、為政以德

孔子主張正名，以救時弊，而正名須自上始，故季康子問政於孔子，孔子曰：「政者正也，子帥以正，孰敢不正。」（顏淵篇）又說：「苟正其身矣，於從政乎何有？不能正其身，如正人何？」「其身正，不令而行；其身不正，雖令不從。」（子路篇）蓋在上者必有高尚的道德與品性，始能使百姓順服。所謂：「為政以德，譬如北辰，居其所而眾星拱之。」（為政篇）即孔子說明為政者道德之重要。可知正名之目的在於立公共之標準，而德治之目的則在於樹社會之模範。如居上位者，不能以德服人，只知以力服人，決不能得到預期之結果，反而使人心更加惡化，社會也將愈形混亂。故孔子曰：「道之以政，齊之以刑，民免而無恥，道之以德，齊之以禮，有恥且格。」（為政篇）可知孔子不主張嚴刑峻罰，強制人民服從，遵守道德之規範。也就是執政者將自己的仁德，推及於一般的人民，使整個國家社會，都能同心協力，共同建設有道德的國家。

三、禮治

正名主義與道德政治，所著重的是對於執政者的規範。孔子更進一步而以「禮」為為政之本。孔子主張禮治的目的，即在養成人民之合理的習慣，正如孟子所說「民日遷善而不知為之者」，於其不知不覺之中，已走上「禮」的途徑。孔子說：「能以禮讓為國，何有？不能以禮讓為國，如禮何？」（里仁篇）又說：「上好禮，則民易使也。」（憲問篇）這都是說明以禮治國的效驗。孔子主張禮治，以為達到德治目的之工具，用以代替法制，故曰：「克己復禮為仁」、「禮以行之」、「齊之以禮」、「以禮讓為國」、「動之不以禮，未善也。」、「恭而無禮則勞，慎而無禮則葸。」這些說法，都是認為「禮」事正己、修身、齊家、治國、平天下之大經大法，有節制一切行動的大用。由此可知孔子之所謂禮治，主要的精神，在於規範個人的行為與安定社會之秩序。

以上所說的是孔子關於實際政治方面的學說，此外孔子尚有關於理想政治的理論。孔子之理想政治，不只在於人民物質生活的保障，而更注重於理想生活或道德生活之實現。孔子固然不完全忽視與實際生活有關之政治措施，不過卻認為道德生活較諸實際生活之需要，尤為重要，故孔子答子貢之問曰：「自古皆有死，民無信不立。」（顏淵篇）蓋若僅是供給實際生活之需要，無道德以教化之，則民無教化而其信不立，社會必然因而失去秩序。所以孔子於食（經濟）兵（軍事）信（道德）三項之中，必須減去何者時，主張先去兵，次去食，而將信認為最重要。可見孔子理想政治之最高目標，實超越於功利之上，同時更進一步，認定必以政治目標超越於功利之上，功利方始得到充分成就。可知孔子理想政治之目的，首在教化，次為社會政策之實施。蓋教化在於確保人民精神上之幸福，而社會政策之實施，則在予人民以物質之幸福。惟因人民物質之需要在於實現社會上分配之正義，故與秩序有關，教化能涵養人類之理性，故有益於社會秩序之維持。

依據《禮記．禮運篇》之記載，孔子晚年之政治理想，有「大同」「小康」二種。大同為孔子理想政治之極則，若大同之治不可一朝企及，則必先自小康為基礎，一旦小康之極盛，乃可由此而臻於大同之域。所謂大同之治，據《禮記．禮運篇》記載云：

大道之行也，天下為公，選賢與能，講信修睦，故人不獨親其親，不獨子其子；使老有所終，壯有所用，幼有所長。鰥寡孤獨廢疾者，皆有所養。男有分，女有歸。貨惡其棄於地也，不必藏諸己；力惡其不出於身也，不必為己。是故謀閉而不興，盜竊亂賊而不作，故外戶而不閉，是謂大同。

〈禮運·大同〉乃是孔子懸想古代大道之行的和平世界。註疏謂為五帝之善，指堯舜禪讓之治，以天下為公。又孔穎達正義云：「為公謂揖讓而授聖德，不私傳子孫，即廢朱、均，而用舜、禹是也。」但孔子此種大同思想，不主張偏狹的國家主義、種族主義，而理想出一種超國家之組織，以全世界人類為政治對象，專提倡世界主義，這是對於當時封建制度的一種革命思想，這種大同主義的政治觀念，其出發點，在於修身，其終極在於平天下。乃是人道主義之結晶，也是世界和平的象徵。這也是孔子的「四海之內皆兄弟」的實際的表現。

至於小康，由於三王承統，以天下為家，不復以天下為公，故流而為「小康」之治。《禮記·禮運篇》云：

今大道既隱，天下為家，各親其親，各子其子，貨力為己，大人世及以為禮，城郭溝池以為固，禮義以為紀，以正君臣，以篤父子，以睦兄弟，以和夫婦，以設制度，以立田里，以賢勇知，以功為己，故謀用是作，而兵由此起。禹、湯、文、武、成王、周公，由此其選也。此六君子者，未有不謹於禮者也；以著其義，以考其信，著有過，刑仁講讓，示民有常，如有不由此者，在勢者去，眾以為殃，是謂小康。

孔子思想以大同為歸，但不廢小康，故孔子有關政治之學說，皆就小康而言。蓋大同政治理想甚高，不易實現，唯有退而求其次，由小康著手，而後進於大同，求其能化民成俗，近悅遠來，造成「太平之極」的和平大同世界。

《中華文化復興月刊》第九卷第十二期（一九七六年十二月），頁七六—七八

孔子的教育思想

——孔德成先生訪問歐洲弘揚儒家思想演講稿

各位貴賓、各位女士、各位先生：

今天德成應邀到貴國訪問，並且要我在這個場合作一次講演，實在深感榮幸。謹以「孔子的教育思想」為題，敬請諸君指教。

儒家思想是中國傳統思想的主流，而孔子則是儒家這一學派的中心人物，也是對中國後世影響最大的哲學家。所以他的思想也可以說是中國的正統思想。

孔子生當春秋末期，當時貴族政治將衰未滅，宗族制度與階級制度都在動搖之中，政治上及社會上普遍地呈現一片紛爭和變亂，世道人心已難以維繫了。在此一情況之下，他為了積極地淑世濟人，便栖栖皇皇地奔走於諸侯之間，思得賢君明主以遂行其道德主義的政治哲學。可惜的是，他始終不遇。於是在失望之餘，他便退而與弟子講學於洙泗之間。由於他孜孜矻矻的從事教育工作，加上他那「有教無類」《論語．衛靈公篇》，「誨人不倦」〈述而篇〉的精神，所以各色人等，都成了他的弟子，共有三千人，身通六藝者七十二人（見《史記．孔子世家》）。終於形成了儒家這一大學派，後世稱之為顯學（見《韓非子．顯學篇》）。而孔子一生最大的成就，也就是在於教育方面。我們從他的教育思想中，當能深切體會到他的偉大所在。也可以瞭解到他所以能成為後世所崇奉的「萬世師表」的原因。在這裡我們便從「教育目的」和「教育方法」，來研究孔子教育思想的要點。

一、教育目的

孔子的人生哲學，以「仁」為中心。而行仁乃是孔子教育的最終目的，所以他說：「君子去仁，惡乎成名？君子無終食之間違仁，造次必於是，顛沛必於是。」（《論語．里仁篇》）。並勉勵他的學生要「當仁，不讓於師」（〈衛靈公篇〉）。至於行仁的方法，分為消極和積極兩方面；消極方面要做到「己所不欲，勿施於人」（〈顏淵篇〉）。積極方面要做到「己欲立而立人，己欲達而達人」（〈雍也篇〉）。一個人的行事，倘能處處從推己及人上著想，便自然可以合乎「仁」了。孔子曾說：「修道以仁」（〈中庸．哀公問政〉），〈中庸〉上說「修道之謂教。」修道就是教育，「修道以仁」意即「仁」的具體實踐，就是教育的最終目的。

二、教育方法

孔子的教育方法，有以下四個要點：

㈠注重以身作則，實施人格感化。

孔子平日教學，最重人格感化，行不言之教，使學者於耳濡目染之際，能收潛移默化之功，《論語．里仁篇》說：「其身正，不令而行；其身不正，雖令不從。」〈子路篇〉說：「子帥以正，孰敢不正？」〈憲問篇〉說：「君子恥其言而過其行。」從以上這些話中，我們可以看出孔子對於身教的重視。這種教育原則，在今日的學校或家庭教育中，可以說是最應為一般教師或父兄家長所重視的。

㈡有教無類

春秋時代以前的中國社會，政教合一，以吏為師，當時書冊都藏於官府，教育的權利操在王官手上，只有居於少數的貴族子弟，才能到官府接受高深學術的教育，一般平民百姓是沒有接受教育的機會的。可是孔子普遍教授生徒，「有教無類」，打破了古代階級性的貴族教育，開創中國歷史上平民教育的先河。孔子當時設壇授徒，凡自願從其學者，無不欣然接納，來者不拒。孔子這種「有教無類」的教育觀念，正是我們今天所要竭力推行的普及教育，使人人都有均等機會，得以接受教育。

(三)：因材施教

孔子在教導弟子之時，喜用「因材施教」的教學原則。《論語．衛靈公篇》說：

可與言而不與之言，失人；不可與言而與之言，失言。知者不失人，亦不失言。

這兩段話都是說明為什麼要「因材施教」的原因。在《論語》中，我們可以找出許多孔子「因材施教」的實例來。比如：同是問「孝」，而所答有「無違」、「敬養」、「色難」等等不同，同是〈雍也篇〉說：「中人以上，可以語上也；中人以下，不可以語上也。」問「仁」，而所答有「愛人」、「克己復禮」、「其言也訒」、「恭寬信敏惠」等，我們可以看到，孔子的學生所問的雖屬同一問題，但孔子的回答卻並不相同，這大概是因為問的人在一方面有所缺陷，所以特別告誡他加以注意。這正是根據「因材施教」的原則而實施教學的。

(四)：採用啟發式教學法

孔子在《論語．述而篇》中說：「不憤不啟，不悱不發，舉一隅不以三隅反，則不復也。」這段話的意思是說：學者對於某一問題研究未得之時，教者應趁機善為開導，使能豁然貫通；而學者於某一問題，已有所領悟，但不能暢所欲言時，教者應趁機善為指示，便能暢達其辭。如此一來，教者隨機誘導，必可使學習的人對其所研究的問題留下深刻的印象，獲得徹底的瞭解。

綜合以上所說，我們可以看出，無論就教育目的、教學方法，以及人格感召等各方面來看，孔子是一個無與倫比的大教育家，他的一言一動，均足以作為後人的楷模，因此後世尊稱他為「萬世師表」。

以上是德成就個人的淺見，所做的簡單說明，尚請諸君指教。

《明倫月刊》一四八期（一九八四年九月）

孔子思想對東方社會的影響

——孔德成先生訪問歐洲弘揚儒家思想演講稿

各位貴賓、各位女士、各位先生：

在東方社會中，受孔子思想影響最大的國家，當屬日本、韓國、越南以及新加坡等國家，尤以日、韓兩國更為顯著。

就日本而言，中國經書傳至日本，最早的就是孔子的《論語》。日本漢學家牧野謙次郎的《日本漢學史》第一章〈漢學東漸的初期〉有一段話說：中國經書傳至日本，最早的是《論語》，約在應神十六年（晉武帝太康六年，西元二八五年）。那時的《論語》是由朝鮮百濟學士王仁獻奉朝廷的。從此《論語》在日本逐漸流行。

這是說孔子思想在西元第三世紀便已影響及於日本了。到了日本推古天皇十二年（西元六〇四年）聖德太子推行「大化革新」，所頒佈的十七條國家大法中，第一條「以和為貴」，第十六條「使民以時」，都採用《論語》的原句。而遠在文武天皇（西元七〇一年）時，即已開始祭祀孔子，而且歷代不絕。

十四、十五兩個世紀，宋儒朱子、明儒王陽明之學先後傳入日本，由德川時代到明治維新，朱、王學說在日本並稱顯學。明末，中國大儒朱舜水先生流亡日本，深得源光國、德川家康叔侄所尊崇，待以師賓之禮，朝野奉為「國師朱公」而不名。日人對之，如「七十子之服孔子」。德川所撰《大日本史》亦在朱舜水指導下完成，本於孔子之《春秋》大義，為日後尊王攘夷，諸藩一統，歸政天皇，奠下基礎。明治維新之所以順利成功，實拜德川二百年太平之賜。可謂無德川之治即無明治維新，而無朱舜水之教化，亦無德川之盛世。

至於朱子、陽明二家學說之在日本，據日本哲學史家宇野哲人《中國近世儒學史》盛稱朱子。「集古今之學說為一貫……其博學多識，實可謂古今獨步，其影響於天下後世，尤其對於日本影響之大，更毋庸贅言矣。」他又稱王陽明「其影響於日本思想史上添上一大光彩，不遑縷述。」日本史學家安岡正篤也肯定「陽明學為明治維新運動之新血脈。」朱熹、王陽明、朱舜水等人都是中國宋明時代的大儒，他們的學說都旨在闡揚孔子思想，亦極為日人所重視，近人橫井小楠更明白的說：「明堯舜孔子之道，盡西洋器械之術，何止富國，何止強兵，兼可布大義於四海。」（見李永熾〈儒家與日本近代化〉）。孔子思想學說對日本的影響，於此可見一斑。

韓國，在中國隋唐之世已受中國文化之薰陶。明代韓國大儒李退溪（滉），李栗谷（珥）皆傳朱子學。退溪有「海東朱子」之稱。栗谷人稱「東方之聖人」。同時又有鄭霞谷（齊斗）力倡王學。朱王之學風行朝鮮，韓人尊之，至今退溪之學在韓國仍極具影響力。

越南古稱交趾，安南。漢代以來即受中華文化之影響，兩國關係極為密切。

至於新加坡乃華人聚集之地，中國傳統思想文化在此普受重視，近年來李光耀總理更大力提倡儒家倫理道德，教忠教孝。這也是孔子思想中的重要一環。

以上是德成個人的一些淺見，敬請指教。

《明倫月刊》一四九期（一九八四十月）

孔子的政治思想

——德成先生訪問歐洲弘揚儒家思想演講稿

各位貴賓、各位女士、各位先生：

今天德成應邀到貴國訪問，並且要我在這個場合作一次講演，實在深感榮幸。謹以「孔子的政治思想」為題，敬請諸位指教。

儒家思想是中國傳統思想的主流，而孔子則是儒家這一學派的中心人物，也是對中國影響最大的思想家。所以他的政治思想也可以說是中國的正統思想。

現在我們便專就政治思想，來探討一下孔子在這方面的主張。

一、孔子所處時代的影響及其背景

欲知孔子的政治思想，必先瞭解其所處的時代在政治及社會方面的情形。

孔子生於周靈王二十一年，即西元前五五一年，卒於周敬王四十一年；即西元前四七九年，享壽七十有二，是春秋時代的魯國人。

孔子所處的時代，其政治及社會的情形，可以引兩段《論語》和《孟子》，以見其一斑。《論語．季氏篇》說：「祿之去公室，五世矣；政逮於大夫，四世矣；故夫三桓之子孫微矣。」《孟子．滕文公篇》下也說：「邪說暴行有作，臣弒其君者有之，子弒其父者有之。」從這兩段話，即可看出當時的政治及社會情形，已經亂七八糟了。貴族政治將衰未滅，宗族制度與階級制度都在動搖之中，政治上呈現一片紛爭和變亂。

再者，社會情形也與古代不同，古者「世官、世祿」，而春秋時代的庶民則可升任高官，如甯戚以飯牛而得仕於齊，百里奚以似奴隸的身份而仕於秦。同時有貴族郤失去原有的地位，如《左傳》昭公三年說：「欒、郤、胥、原、狐、續、慶、伯，降在皂隸。」由此也可以看出社會情形的轉變。所以孔子雖為貴族之後（其先世為宋閔公之子弗父何之後），卻不得不為「委吏」、「乘田」之類的小官，並且不得不以教書為生了。

孔子所處的時代，其政治及社會情形，大抵如上所述。而他一生的事蹟，不外從政、教學與整理古籍。他之所以栖栖皇皇的奔走於列國之間，且又孜孜矻矻的講學，其目的無非是想要挽救世道人心，撥亂反正，他的政治思想，就是建立在這種積極的救世主義上。

二、孔子的政治思想

孔子的學說在於承襲並遞傳中國的傳統文化，是繼承孔子以前中國一貫的傳統思想，所以〈中庸〉記載說：「仲尼祖述堯舜，憲章文武。」而更承襲發揮自周代以來人道主義的政治思想。故孔子在政治上的主要主張，大致可分「德為政本」與「正名主義」兩點來加以說明：

所謂「德為政本」者，《論語．為政篇》說：「為政以德，譬如北辰，居其所，而眾星共之。」又說：「君子之德風，小人之德草，草上之風，必偃。」〈顏淵篇〉說：「政者正也，子帥以正，孰敢不正。」這都是說統治者修己治人，應當以德為本，以身作則。有聖君賢者在位，可以使人民潛移默化，政治才能上軌道。《論語．為政篇》又說：「道之以政，齊之以刑，民免而無恥；道之以德，齊之以禮，有恥且格。」春秋時代政治敗壞，社會紛亂已到了難以維繫的地步。於是先有鄭國子產之作刑書，後有晉國之鑄刑鼎，想要以法令政刑來規範當時的行為制度，採取法治主義的措施。我們都知道，無論春秋時代或者當今之世，若能順行法治，已可算是難能可貴的治世了。可是在孔子看來，「道之以政，齊之以刑」的法治社會，並不能造就真正完美的人格與尊重人的尊嚴，依然有「民免而無恥」的弊病，所以他提出比法治主義更高一層的德治主張，以德與禮來教導規範人民，使人得以取法乎上，不但足以鼓舞振奮人心道德，更能肯定人格尊嚴之價值。所以孔子說：「聽訟吾猶人也，必也使無訟乎。」（《論語．顏淵篇》），後世之人所以尊崇孔子，其因素正在於此。

所謂「正名主義」者，《論語．顏淵篇》說：「齊景公問政於孔子，孔子對曰：『君君、臣臣、父父、子子。』公曰：『善哉！信如君不君、臣不臣、父不父、子不子，雖有粟，吾得而食諸？』」這正是齊國陳恒以大夫制齊，魯國也正是昭公為季氏所驅逐奔齊的時候。所以孔子積極主張正定君臣的名份，藉以恢復政治制度。因此孔子為魯大司寇，首先擁戴當時正統的政府，而墮三都（事在魯定公十三年）。因為君臣之分不正，父子之倫不明的情況之下，政治不能上軌道，是無法使老百姓安定地生活下去的。沒有安定的政府，就不會有安定的社會。所以孔子的正名主義，究其極，還是注意到政治最終的目的，乃是在於為百姓謀幸福的。

總之，孔子有關政治思想的大旨，其根本精神即在於「仁」，也就是人道主義的思想，其目標不但在於促進政治的安定與社會的和諧，同時也在於使統治者與人民都能養成盡善盡美的人格。這正是中國傳統文化的精義所在。

以上謹就德成的淺見，做一個簡單的說明。敬請諸君指教。

《明倫月刊》一五〇期（一九八四年十一月）

儒學與經濟發展

——孔德成先生訪問歐洲弘揚儒家思想演講稿

各位貴賓、各位女士、各位先生：

今日一般人所謂之「經濟」，是指人類利用種種財貨物資，以滿足其欲望之一切行為及狀態而言，其意義之範圍較狹。然今日之經濟學及其所研究探討之課題，亦屬人生哲學內容之一部分。經濟學者，固不能脫離「人」而言經濟之理論，否則即失去其價值與依據了。儒家哲學為中國傳統思想的主流，而孔子則是儒家思想的中心人物。孔子思想的最大特色，乃是其哲學之觀念與主張，皆專就人生之種種問題而發，也就是基於人而言人道之思想。

孔子在這方面的議論，雖然不多，但在《論語》上的記載，也可見其一斑。《論語．子路篇》上說：「子適衛，冉有僕，孔子曰：『庶矣哉。』冉有曰：『既庶矣，又何加焉？』曰：『富之。』冉有曰：『既富矣，又何加焉？』曰『教之。』。」其後有孟子，受業於子思之門人，私淑孔子，闡揚孔子學說，大有功於儒學。至於〈中庸〉以及〈大學〉，也都是孔學正統的思想理論，亦有不少經世濟民之說。現在我們便根據有關的資料，來探討孔學在經濟發展上有關的思想與主張。

一、發展經濟，先慎乎德

一個國家所以謀求其經濟之發展，其目的乃在富國裕民，使得社會繁榮進步，民生安和樂利，而經濟之成長，則有賴於人力與資源。然人力資源，非隨時可得。故在上者必須先慎修其德，教化百姓，而後能得人心，人心既得，國土才有人保衛、開發，才能致力生產，發展經濟。故〈大學〉第十章說：「是故君子先慎乎德，有德此有人，有人此有土，有土此有財，有財此有用。」這也就是《尚書．大禹謨》所說「正德、利用、厚生惟和」的道理。即先正其德，後利其用，而達到民生安和樂利，故道德乃是經濟政策之本，而財貨為經濟政策之末。假使本末倒置，在上者與民爭利，甚至奪民之財，則雖財聚而民散矣。所以〈大學〉第十章又說：「德者，本也，財者，末也，外本內末，爭民施奪，是故財聚則民散，財散則民聚。」這正說明了道德是經濟政策的根本，其重要可知。人民繁庶，而不使其富足，則無以維生，富而不教，則飽食終日無所用心。逸居而無教，則近於禽獸。因此孔子主張教化，而教化的目的，便是使人知人倫道德。如此則社會有秩序，經濟政策之施行與經濟之發展，自然能上軌道了。

二、以義為利

經濟政策既應以道德為本，以財利為末。則發展經濟之目的，即在謀一國全體國民之福利，而非只顧及少數個人之私利。蓋為全體或多數人謀取公利，即謂之「義」，為少數人私利之自謀曰「利」。故《論語．里仁篇》孔子說：「君子喻於義，小人喻於利。」〈大學傳〉說：「長國家而務財用者，必自小人矣。彼為善之，小人之使為國家，菑害並至，雖有善者，亦無如之何矣。此謂國不以利為利，以義為利也。」由此可見在上位的人制定經濟政策，發展經濟，是應該顧及大眾的福利的！若只是專務財用，孳孳為利，那就成了眾所鄙棄的小人了。

三、反對聚斂

一國的政府或統治者，若是對百姓橫征暴歛，刮削榨取，這是孔子所最痛恨的行為。

《論語．先進篇》記載：「（魯）季氏富於周公，而求也為之聚斂而附益之。」孔子對冉求之助惡而害民，極為憤怒，因而說：「（冉求）非吾徒也，小子鳴鼓而攻之，可也！」孟子在〈離婁上篇〉裡引述這件事也說：「君不行仁政而富之，皆棄於孔子者也。」可見孟子對於聚斂也是深惡痛絕的。《孟子．告子下篇》說：「今之事君者，皆曰：『我能為君辟土地，充府庫。』今之所謂良臣，古之所謂民賊也。君不鄉道，不志於仁，而求富之，是富桀也。」由此可知，政府對百姓的稅收，不宜苛細，暴斂而復苛細，不但擾民，甚且殘民。所以致力於經濟發展的國家，有時不但不加稅，反而以減稅的辦法來促進經濟之發展，而不專以充裕國庫為務，其用意即在於此。

四、提倡均富、開發資源

中國自古以農立國，故在上者欲發展經濟，必先為民置產，使無爭奪。而耕種所得，仰足以事父母，俯足以畜妻子，樂歲終身飽，凶年亦免於死亡。蓋百姓有常產，始有恒心以守之，然後驅之為善，則民從之也輕。否則，田無定分，強者巧取豪奪，弱者必無以為生，如此一來，天下紛亂，社會不安，又怎能侈言經濟發展？所以《孟子．梁惠王篇上》說：「無恆產而有恆心者，惟士為能。若民，則無恆產，因無恆心；苟無恆心，放辟邪侈，無不為已。及陷於罪，然後從而刑之，是罔民也。焉有仁人在位，罔民而可為也。是故明君制民之產，乃使仰足以事父母，俯足以畜妻子，樂歲終身飽，凶年免於死亡。然後驅而之善，故民之從之也輕。」孟子這一「為民制產」的主張乃是要使人民各有其財富，很能闡揚孔子均富社會的主張。《論語．季氏篇》孔子說：「丘也聞有國家者，不患寡而患不均，不患貧而患不安。蓋均無貧，和無寡，安無傾。」一個均富的社會，自然不會因「不均」而引起爭奪紛亂，人民生活便能和樂安定了。

至於要造就一個均富的社會，除了為民制產的辦法之外，還要使得人人就業，並且致力於開發資源，發展經濟以裕民生。〈大學傳〉上說：「生財有大道，生之者眾，食之者寡，為之者疾，用之者舒，則財恒足矣。」〈中庸〉二十六章說：「今夫山，一卷石之多，及其廣大，草木生之，禽獸居之，寶藏興焉。」又說：「今夫水，一勺之多，及其不測，黿鼉蛟龍魚鱉生焉，貨財殖焉。」《禮記．禮運篇》說：「貨惡其棄於地也，不必藏於己，力惡其不出於身也，不必為己。」這都是說發展經濟，充實民財，其道不外乎使人人都有工作，而無游手好閒之徒，生產者眾，坐食者寡，大家努力工作，收入豐足，用度自然寬舒，無匱乏之虞。且山川土地，莫不蘊藏資源財富，若能積極開發，供為世用，則百業以興，民生得以繁榮富足，其於經濟發展之關係，不言而喻了。

從以上所說，我們對於孔學與經濟發展有關的思想和主張，大致可以有個概括的認識。總之，這是一種以民為本的經濟思想，也是後代到現在，中國從政者能夠成功，取得人心之歸趨及歷史評價的一個標準，尤其是在今日世界經濟型態日趨複雜，世道人心，經濟倫理日趨敗壞的情況下，孔學在經濟方面的思想與主張，倒是值得人們的重視與深思。

以上是德成個人的一些淺見，尚請指教。

《明倫月刊》一五一期（一九八四年十二月）

儒學與自由中國的現代化

——孔德成先生訪問歐洲弘揚儒家思想演講稿

各位貴賓、各位女士、各位先生：

今天德成應邀到貴國訪問，並且要我在這個場合作一次演講，實在深感榮幸。謹以「儒學與自由中國的現代化」為題，敬請諸君指教。

儒家哲學是中國傳統思想的主流，其學說在於承襲並遞傳中國的傳統文化。自孔子以來，更是注重於人道主義的發揮。孔子基於人而言「仁」，因此尊重自由意志，注重互愛互敬，以樹立人格的尊嚴。這一切都在強調道德實踐的功能與價值，而他的政治、教育、社會、經濟等各方面的主張，也莫不以此為本。

孔子之後，孟子、荀子二家先後繼起，皆能闡揚孔子學說，光大儒學。戰國之世，儒家號稱顯學。及至漢武帝罷黜百家，獨尊儒術，從此，二千多年來，儒家思想成為中國傳統思想之最大主流，深入人心，直至今日，影響於中國者至深且鉅。雖中間因六朝、隋唐時代佛教之流行，但未影響及儒學之發展。自宋、明以來，程、朱、陸、王，諸家並起，儒學更盛。

中國自明神宗八年，義大利利瑪竇到中國（一五八〇年初到廣州），即與西方文化接觸，以後更盡量吸收西歐文化，漸溥及各方面。這也由於孔子的「四海之內皆兄弟」（《論語．顏淵篇》）的懷抱而來。孫逸仙博士亦自謂其學說有本於固有文化思想者；而此所謂固有之文化思想，實即儒家傳統之思想。蓋儒學自孔子以來，所注意者，人際之關係，政治、經濟之制度，法律之典章。故儒家之影響于後世，亦多在此方面。

民國三十八年，中共竊據大陸，國民政府播遷臺灣，依然一切奉行三民主義。自由中國政府與人民，經過三十多年來的努力，政治上力求民主開放，社會上講求倫理道德，經濟上高度發展，教育上普及均等，在各方面都有進步而邁向現代化。其成果之豐碩，實令舉世矚目，故稱之曰「自由中國」。而自由中國此一現代化之成就，與儒家傳統之思想主張，實有密切的淵源關係，茲舉其大者，簡單說明於下：

一、推行民主開放的政治

民主開放的政治制度，乃是順應世界潮流的現代化政治體制，政府的一切措施須尊重民意，甚至政權的轉移，亦應以民意決定之。中華民國實施民主政治，地方官吏，以及地方至中央之民意代表，皆經人民投票選舉；總統亦由國民大會代表選舉產生。此一民主開放之政治制度，在中國傳統及儒家思想，是可以找到根據的。〈酒誥〉說：「人無於水監，當於民監。」〈康誥〉上說：「不敢侮鰥寡，庸庸祇祇。」〈泰誓〉上說：「民為邦本。」《左傳》襄公十四年傳：「天之愛民甚矣，豈其使一人肆虐於上。」孔子說的「老安少懷」（《論語．公冶長篇》），「博施濟眾」（《論語．雍也篇》），這都是其觀點在於人民。到了孟子就有更進一步明顯的說法，《孟子．盡心篇》上說：「民為貴，社稷次之，君為輕。」這說明了社稷君主都是為民而立，倘無人民，那裡還會有君主和社稷？所以人民才是最寶貴的。同時人民也是政治的中心，所以在上位者要能重視民意，為民盡責。這也是民主政治的要件—民意政治、責任政治。《孟子．梁惠王篇》說：「左右皆曰賢，未可也；諸大夫皆曰賢，未可也；國人皆曰賢，然後察之，見賢焉，然後用之。左右皆曰不可，勿聽；諸大夫皆曰不可，勿聽；國人皆曰不可，然後察之，見不可焉，然後去之。左右皆曰可殺，勿聽；諸大夫皆曰可殺，勿聽；國人皆曰可殺，然後察之，見可殺焉，然後殺之。故曰國人殺之也。如此，然後可以為民父母。」這說明了對民意輿論的重視。不但用之於人員的任用，而且也用之於人員的罷免和刑戮。政府如此尊重民意，才能得民心。所以《孟子．離婁》上說：「桀紂之失天下也，失其民也。失其民者，失其心也。得天下有道，得其民，斯得天下矣。得其民有道，得其心，斯得民矣。」由此可知統治者的地位，是決定於民心的向背，亦即以民意之趨向為依據，故孟子認為暴虐無道的君主，人民可依民意以革命手段加以推翻。因此湯放桀、武王伐紂，孟子不以為這是以臣弒君，而說是：「聞誅一夫紂矣，未聞弒君也。」（〈梁惠王篇〉）

現代的民主政治制度與思想，雖都產自西方，但在中國二千三百年前的孟子，對於現代民主政治所須的民意政治和責任政治二個要件，已有所論述。可見儒學思想，實可作為我們今日推展民主政治的基礎。

二、講求社會的倫理道德

倫理道德是中國社會傳統的美德，也是儒家思想中最重要的一環。《論語．學而篇》說：「弟子入則孝，出則弟，謹而信，泛愛眾，而親仁。」又說：「孝弟也者，其為仁之本歟！」《孟子．梁惠王篇》說：「壯者以暇日，修其孝悌忠信。」《禮記．禮運篇》說：「……故人不獨親其親，不獨子其子。使老有所終，壯有所用，幼有所長，鰥寡孤獨廢疾者，皆有所養。」自由中國近三十年來，在　先總統　蔣公的號召之下，努力推行中華文化復興運動，倡導倫理、民主、科學的文化，倫理道德即為首要項目。　先總統　蔣公在《中國之命運》一書中說：「社會組織雖有不斷的演進，而父子、夫婦、兄弟、朋友之道，上下尊卑，男女長幼有序，乃至鄰里相恤，疾病相助，實為社會不變之原理。」這段話，已將倫理的意義、範圍，闡述得十分明白，與儒家傳統的倫理道德觀念，完全吻合。

三、均富的經濟發展

儒家在經濟思想上，主張為民制產，創造均富的社會。《孟子．梁惠王篇》上說：「是故明君制民之產，必使仰足以事父母，俯足以畜妻子。樂歲終身飽，凶年免於死亡。然後驅而之善，故民之從之也輕。」孔子在《論語．季氏篇》中說：「丘也聞有國有家者，不患寡而患不均，不患貧而患不安。蓋均無貧，和無寡，安無傾。」中國自古以農立國，故在上者欲發展經濟，必先為民制產，使無爭奪。而生產所得，足以仰事俯畜，百姓均富，人人生活便能安和樂利。

自由中國政府，三十多年來，施行耕者有其田的土地改革政策，使農人皆得自有土地，故樂於致力生產，而農業經濟因而快速成長，並有餘裕以支援工商業之發展，經濟上各業互相配合，終使經濟起飛，社會繁榮，民生均富。這也是符合儒家經濟思想之主張與理想的。

四、普及均等的教育

孔子以前的中國社會，政教合一，以吏為師。當時書冊都藏於官府，教育的權力操在王官手上。只有居於少數的貴族子弟，才能到官府接受高深學術的教育，一般平民百姓是沒有接受教育的機會的。可是自孔子開始，他卻普遍教授生徒，「有教無類」，打破了古代階級性的貴族教育，開創中國歷史上平民教育的先河。孔子當時設壇授徒，凡自願從其學者，無不欣然接納，來者不拒，實是中國歷史上第一位教育家。他這種「有教無類」的教育觀念，正是今日自由中國正在竭力推行的普及教育。

自由中國在民國五十七年，全面推行九年義務教育，使全體適齡學童，都能接受中學教育。至今十六年來，國民知識水準普遍提高。且大學及專科以上學校，甚至研究所、博士班，普遍設立，只要肯向學，人人皆有機會接受高深學術的教育。這與孔子的教育觀念頗為一致。

總之，今日自由中國在各方面現代化之成就，與儒家思想學說，實有密切之淵源關係。儒家的學說思想，都是人道觀念的顯示，也正是中國傳統文化精義之所在。我們　國父、先總統蔣公，以及　蔣總統經國先生，都十分重視我國的文化、優美的傳統，而加以倡導。如反其道，倡憎恨、滅人倫、貧其眾、愚其民，不獨有背儒家的學說、中國的文化，並且有違世界與人類的文明，是滅絕人性的邪說。由此可見，自由中國現代化，不但在歷史傳統中——尤其在近代之主政者之趨向、成果上，已表現出來了。

以上是德成就個人的淺見，所做的簡單報告，敬請諸君指教。

《明倫月刊》一五三期（一九八五年三月）

雪廬紀念堂開幕典禮

——孔院長講辭

主席、各位貴賓、各位女士、各位先生：

今天是臺中佛教蓮社「雪廬紀念堂」開幕的日子，本人躬逢盛會，心裡有諸多感觸，回想這位與我相處五十多年，自從民國二十六年起，長途跋涉，展轉流離，甘苦與共，禍福同當的好友，離我而去，瞬已五周年了，他的音容笑貌，仍時常出現在我的想像之中。

我這位老朋友，可以說是儒佛雙修，詩文俱佳。在儒學方面，由於體認深厚，隨時隨地都把孔孟之道，表現在他的思想言行之間，溫良恭儉讓的美德，他都已具體實踐。在佛學方面，更是心領神會，有其獨到之處。對於淨土宗的修持，更是師出名門、業有專精。在詩文方面，他融會了儒佛二家的道理，有形無形的參互印證、交相發揮，以儒家的仁義，佛家的慈悲，諄諄宣導，藉以達成其勸世、救世的目的。

就更具體的來說，臺中佛教蓮社是他建立的永久的根本所在，也是他實現救世理想的基點。他在這裡教訓佛門弟子，禮敬三寶，培養善根，並據而推廣慈善、救濟、社教事業，如慈光圖書館、慈光育幼院、菩提仁愛之家等機構，都正常發展，卓有成就。在宏揚儒學方面，假蓮社舉辦《論語》講習班，社教研習班、國學啟蒙班，及明倫廣播社、明倫雜誌社等活動，都在為儒學做往下紮根的工作，也都有其具體的表現與成就。

我這位老朋友所打下的這種基礎，及建立的這許多事業，都是苦心擘劃，辛苦經營而來的。我原來擔心我們古有所謂「人亡政息」這句話，深怕他這些事業就此而日漸蕭條冷落，想不到在蓮社的各位女士、各位先生的共同努力下，不但沒有使他蕭條冷落，而更能繼志述事，繼續推展。各項事業都很有條理的在推動之中，並把他的詩文整理出版。今天更建立了這「雪廬紀念堂」，把雪廬先生一生的功德事業生活點滴，具體展現，以供世人瞻仰慕念。各位這種精神與作為，正表現了我們中國人尊師重道、飲水思源的美德，因而使我非常感動，也非常敬佩。

今後，希望大家繼續努力，把我這位老朋友的事業，更發揚光大，也把他的精神傳世不朽！最後，敬祝各位，健康愉快！

中華民國八十年六月九日

《明倫月刊》二一四期（一九九一年五月）

接受麗澤大學榮譽學位致辭

廣池幹堂校長、沈副代表、陳燕南組長、諸位女士、諸位先生：

今天為貴道德科學研究所創立七十五周年傳統紀念日，同時貴麗澤大學更有偉大的進展：已擁有兩個研究所（四個專攻）、兩個學院（七個學系）、一個別科日語研修課程等，已為完整的教育體系。可說是在廣池幹堂理事長的領導，與所中、校中各位努力之下，得到豐碩的成果，而達到廣池千久郎博士的遺志。德成謹以七十年及四代交誼的關係，敬致十二萬分的欣慶之忱。

在今天的慶祝場合，更承貴校授予榮譽學位，實不敢當。既已決定，祇有在慚愧的心情之下，接受這項榮譽，并致十二萬分的謝意。並藉這個機會，略就孔子對於道德與知識學習方面的重視，謹述淺知，就教于各位：

一、孔子重視道德

在孔子的思想中，是非常注意「道德」的。這也是他接受了傳統的，如周代之所以建國，是周文王之有德，如《詩．大明篇》：「其德不回，以受方國。」《詩．周頌．維天之命》：「文王之德之純。」毛公鼎銘：「丕顯文武，皇天弘猒氒（厥）德，配我有周，膺（膺）受大命。」等，是也。孔子把道德之總稱，以「仁」括之：「仁」字在《論語》一部書中，共出現一百零五次。然而「仁」的觀念，並非始於孔子，在中國先秦典籍中，如《書．金滕篇》：「予仁若考」按「考」即「孝」字，是周初已有「仁」的觀念。又如《詩．鄭風．叔于田》：「洵美且仁」〈齊風．盧令〉：「其人美且仁。」毛《傳》：

「仁，愛也。」《論語．堯曰篇》：「雖有周親，不如仁人。」《墨子．兼愛篇》，引作「傳曰」。孫星衍《尚書今古文疏證》：以為「尚書逸文」。《國語》〈周語下〉：「仁，文之愛也。」〈周語中〉：「仁，所以保民也。」〈晉語一〉：「為仁者，親愛之謂仁。」（愛親之謂仁）又：「為國者，立國之謂仁。」〈晉語三〉：「殺無道而就有道，仁也。」〈楚語上〉：「明慈愛以導之仁。」《左傳》僖公九年傳：「宋公疾，太子茲父固請曰：『目夷，長且仁，君其立之。』公命子魚，子魚辭曰：『能以國讓，仁孰大焉？臣不及也。』」又三十三年傳：「臼季曰：『臣聞之，出門如賓，承事如祭，仁之則也。』」又成公九年傳：「（晉）范文子曰：『楚囚，君子也。言稱先君，不背本也。不背本，仁也。』」又昭公二十年傳：「無極曰：『（伍）奢子之材，若在吳，必憂楚國，曷以免其父召之？彼仁必來。』」

綜合以上所引述的先秦文獻，早在孔子以前，人們已有了關于「仁」的觀念了。其內容包括：「孝」、「親愛」、「慈愛」、「保民」、「利國」、「禮讓」、「恭敬」、「不背本」等意義。《逸周書》中也嘗見「仁」字（大約有廿五次左右），大致與以上引述的先秦文獻相同。而這些意義，也都見於《論語》中，孔子對於「仁」的說法。只不過孔子把「仁」的範圍更加擴充；并賦予新的、更具體的命意。

在孔子的見解，「仁」不只是諸德之一種；并且是人類行為標準之總名：見于《論語》者：〈里仁篇〉：「里仁為美，擇不處仁，焉得知（智）。」「不仁者，不可以久處約，不可以長處樂，仁者安仁，知（智）者利仁。」「子曰：『唯仁者，能好人，能惡人。』」「子曰：『苟志於仁矣，無惡也。』」「子曰：『富與貴，是人之所欲也；不以其道，得之不處也。貧與賤，人之所惡也；不以其道，得之不去也。君子去仁，惡乎成名。君子無終食之間違仁。造次必於是，顛沛必於是。』」「子曰：『我未見好仁者，惡不仁者；好仁者，無以尚之；惡不仁者，其為仁矣，不使不仁者加乎其身。有能一日用其力於仁矣乎？我未見力不足者！蓋有之矣；我未之見也。』」「子曰：『人之過也，各於其黨。觀過，斯知仁矣。』」〈公治長篇〉：「未知（智），焉得仁。」〈雍也篇〉：「己欲立而立人，己欲達而達人。能近取譬，可謂仁之方也矣。」〈顏淵篇〉：「樊遲問仁。子曰：『愛人。』」「顏淵問仁。子曰：『克己復禮為仁。一日克己復禮，天下歸仁焉。為仁由己，而由人乎哉？』顏淵曰：『請問其目。』子曰：『非禮勿視，非禮勿聽，非禮勿言，非禮勿動。……』」〈里仁篇〉：「能以禮讓為國乎？何有！不能以禮讓為國，如禮何！」「仲弓問仁，子曰：『出門如見大賓，使民如承大祭。己所不欲，勿施於人。』」〈子路篇〉：「剛毅木訥，進仁。」「仁者，居處恭，執事敬，與人忠。」〈八佾篇〉：「臣事君以忠。」按事君亦是「與人」之一端。〈憲問篇〉：「仁者，必有勇。」〈陽貨篇〉：「恭、寬、信、敏、惠。能行五者於天下，為仁矣。」宰我欲不行三年之喪（父、母之喪），孔子批評他對父母無哀思，是無愛情，無愛情，則為不孝。而說他：「予之不仁也。」〈子張篇〉：「子夏曰：『博學而篤志，切問而近思，人在其中矣。』」此雖子夏語，似合孔子之仁說。以孔子仁說，由今所引各節，故似得孔子意。〈憲問篇〉：「管仲相桓公，霸諸侯，一匡天下。」「民到于今受其賜，微管仲，吾其被髮左衽矣。」以管仲有安定天下，扶持華夏好的文化於不墜，而孔子稱其「如其仁！如其仁！」《左傳》襄公三十一年傳：「鄭人游于鄉校，以論執政。然明謂子產曰：『毀鄉校何如？』子產曰：『何為？夫人朝夕退而游焉，以議執政之善否。其所善者，吾則行之；其所惡者，吾則改之。是吾師也，若之何毀之？……』仲尼聞是語也，曰：『以是觀之，人謂子產不仁，吾不信也。』」又〈文公二年傳〉，載孔子以（魯）臧文仲不能用賢人，加稅斂，以妾售織蒲與民爭利，而謂其不仁。

此外，孔子又甚稱直之行為，〈雍也篇〉：「人之生也直」。直者，內無自欺之心，外無欺人之行，所以孔子贊美史魚，「邦有道如矢，邦無道如矢」（仝上篇）。

二、孔子重知重學

由上可知，孔子之重視道德。但人之所以知道德之為道德者，在乎「知」也。知之來源，則在乎「學」。所以孔子既重知，故對「學」之一字，特別注意：

「吾嘗終日不食，終夜不寢，以思，無益。不如學也」（《論語・衛靈公篇》）。「我非生而知之者，好古敏以求之者也。」（〈述而篇〉）。「若聖與仁，則吾豈敢。抑為之不厭，誨人不倦，則可謂云爾已矣」（〈述而篇〉）。「三人行必有我師焉：擇其善者而從之，其不善者而改之。」（〈述而篇〉）。「子在齊聞韶，三月不知肉味。子曰：『不圖為樂，以至於斯也。』」（〈述而篇〉）。

其治學的態度：「知之為知之，不知為不知，是知也。」（〈為政篇〉）。「夏禮，吾能言之，杞不足徵也；殷禮，吾能言之，宋不足徵也。文獻不足故也；足，則吾能徵之矣。」（〈八佾篇〉）。在今天來說，這是多麼合乎科學的治學的精神。

因為他重視「知」對人類之重要；不但自己努力奮發為學，更進一步推廣教育普及於整個社會。他是使中國一般平民都能受到教育的開創者。「有教無類。」（〈衛靈公篇〉）。他開館授徒：「弟子蓋三千焉。身通六藝者，七十有二人。」（《史記・孔子世家》）。他以四項為教育分類：「子以四教，文、行、忠、信。」（〈述而篇〉）。并劃為四科：「德行：顏淵、閔子騫、冉伯牛、仲弓。言語：宰我、子貢。政事：冉有、季路。文學：子游、子夏。」（〈先進篇〉）。他的教材，採自傳統典籍：

> 子所雅言，《詩》、《書》、執禮，皆雅言也。（〈述而篇〉）
> 興于《詩》，立于禮，成于樂。（〈泰伯篇〉）

> 博學於文，約之以禮。（〈顏淵篇〉）（義又見〈子罕篇〉）
>
> 不學禮，無以立。（〈季氏篇〉）
>
> 吾自衛反魯，然後樂正，雅、頌各得其所。（〈子罕篇〉）。

言《詩》，則又曰：「《詩》可以興，可以觀，可以群，可以怨。邇之事父，遠之事君，多識于鳥獸草木之名。」（〈陽貨篇〉）。他更注意所授的教材基本精神：如「禮」、「樂」。他說：「禮云禮云，玉帛云乎哉？樂云樂云，鍾鼓云乎哉？」（〈陽貨篇〉）。此言禮不只是「揖讓進退」動作，「樂」不只是撞鐘擊鼓。而禮之重要在于人的生活，人的規範，政治典章，社會的秩序。如他告訴顏淵仁的道理時說：「非禮勿視，非禮勿聽，非禮勿言，非禮勿動。」（〈顏淵篇〉），此個人生活之規範也。如「齊之以禮。」（〈為政篇〉）、「君君、臣臣、父父、子子」（〈顏淵篇〉）等，此言社會及政治方面者也。他的教學是「循循善誘。」（子罕篇），「誨人不倦。」（〈述而篇〉）。并且是「因材施教」。茲舉二例：如「子路問：『聞斯行諸？』子曰：『有父兄在，如之何其聞斯行之！』冉有問：『聞斯行諸？』子曰：『聞斯行之！』公西華曰：『由也問：「聞斯行諸？」，子曰：「有父兄在」；求也問：「聞斯行諸？」子曰：「聞斯行之！」赤也惑；敢問。』子曰：『求也退，故進之；由也兼人，故退之。』」（〈先進篇〉）。又如樊遲問仁，子曰：「愛人。」（〈顏淵篇〉）。顏淵問仁，子曰：「克己復禮。」（〈仝上篇〉）。孟懿子問孝對曰：「無違」（〈為政篇〉）。子夏問孝，子曰：「色難。」（〈仝上篇〉）。蓋知其所問之目的不同，或在這方面有所缺陷，故針對之而發。故所答亦各異也。他也注意學生的自憤自發：「不憤、不啟，不悱、不發。舉一隅，不以三隅反，則不復也。」（〈述而篇〉）。可是孔子更注重學生的思想自由，如宰我欲縮短三年之喪（父、母之喪），這與孔子主張是違背的。但孔子不但沒有予以申飭，并說：「汝安，則為之。」可見有人對他的主張，有不同時，并不強人從己，而重視對方意見，是重視自由的。又如他說：「攻乎異端，斯害也矣。」（〈為政篇〉）。此言：若攻擊和自己主張不同的學說，這是有害的。可見他兼容並蓄的精神。所以孔子說：「鳥獸不可與同群；吾非斯人之徒與而誰與？天下有道，丘不與易也。」（〈微子篇〉）。孔子并贊成與學生共同生活的樂趣，所以曾晢說：「暮春三月，春服既成，冠者五、六人，童子六、七人，浴乎沂，風乎舞雩，詠而歸。」孔子說：「吾與點也。」（〈先進篇〉）

孔子教育上雖重德育，尤其「行」的方面（見上引〈述而篇〉、〈先進篇〉），篤履實踐（見上引各德在行之實踐方面）。同時注重「知」（智）育，〈陽貨篇〉上記載著：

子曰：「由也，女聞六言六蔽矣乎？」對曰：「未也。」「居！吾語女。好仁不好學，其蔽也愚；好知不好學，其蔽也蕩；好信不好學，其蔽也賊；好直不好學，其蔽也絞；好勇不好學，其蔽也亂；好剛不好學，其蔽也狂。」

仁、知、信、直、勇、剛，雖為美德，然不學不知其真諦——「弗學，不知其善」（《禮記・學記》），而有所偏。欲對一件事情能有真知，唯在學耳。可見孔子之重視「知」也。孔子之所謂「文」（見上引），即「道德」而外，所有之知識。可見孔子以「智育」與「德育」並重。孔子之所謂「仁」者（見上引）（《孟子・梁惠王篇》下說：「仁者，人也。」即基於人，而說作人之道，似合孔子「仁」義），即人之為人的道理。德、智當包括在內了。

謝謝各位！

（稿上手寫註記：村田保園長，九〇年九月廿八日台北日友講會）

（日本千葉縣麗澤大學講，二〇〇一年六月五日）

雜文

先聖事蹟及生卒年月日之考信

先聖集堯、舜、禹、湯、文、武、周公之大成，而為千古人倫師表。宰我、子貢、有若等，智足以知聖人，汙不至阿其所好，二千年前已論定矣。司馬遷處西漢初葉，所著《史記》特列先聖於世家，識者偉之，惟兼收並蓄，擇焉不精，未足粹然依為考究聖蹟之確據。古本《家語》二十七卷，佚之久遠，通行者乃王子雍偽本，馬昭、王柏辯論甚詳。傳至有明，王本又為妄庸刪削，割裂瑣碎，多不足徵。大小戴《禮》，廣博淵洽，洵足以羽翼《儀禮》而詳為解詁矣。至所載先聖之言語，事實昭然，徵信者多，而疑問亦間出不尠。惟魯《論語》二十篇，成於有子、曾子之門人，《孟子》七篇成於公孫丑、萬章之徒，去聖未遠，追錄翔實。朱晦庵筆削〈世家〉，而為《論語》序說，芟夷枝節，編年紀月，學者詳核顛末，互相佐證，在參《祖庭廣記》、《闕里文獻考》並《春秋》三傳之襄、昭、定、哀四世，縱不能不博稽羣籍，而以上諸書，懸為圭臬，庶亦可以不至紛歧矣。惟其生卒年月日，以《史記》與《公》、《穀》不同，聚訟紛紜，莫衷一是。錢大昕云：「《左氏傳》於哀十六年，書『孔子卒』（四月己丑）而不書生年；《公羊傳》云『襄二十一年十一月庚子生』；《穀梁傳》云『二十年十月庚子生』；《史記》則云『二十二年孔子生』而無日月。考賈逵注《左傳》於襄二十一年云『此年仲尼生』，又昭二十四年服虔引賈說云『孔子是年三十五』，是漢儒皆以孔子生在襄二十一年也。惟是年經書十月庚辰朔，則十一月無庚子日。以三統術推之，襄二十一年十月己卯朔，其月二十二日庚子是為孔子之生日。年從《公羊》，月從《穀梁》，且與賈服注《左傳》亦合。」按錢氏推算最覈，惟《穀梁》二十一年，錢誤以為二十年爾。考陸德明《公羊音義》云：「庚子，孔子生，上有十月庚辰朔。」

此亦十一月也，一本作十一月庚子。然則《公羊》作十一月者，乃誤從陸氏所謂別本，而非定本矣。蓋《公》、《穀》二家並以襄二十一年十月庚子為先聖生之年月日，諸說齟齬，宜徵之經，經無明文，宜徵之傳，信傳猶愈於信史也。宋氏之孔子生卒年辨亦大略如是。

《新亞細亞》第十卷第二期（一九三五年），頁二一四

《尊孔史》敍

司馬子長作《史記》，列先聖於世家，識者多之，以為褒，然千古卓見。王介甫不揣時代而妄詆其短，亦書生結習而已。然史公處武帝學術昌明之時，似無足異者。漢高祖馬上得天下，以嫚儒名，乃於干戈蒼黃之日，過魯以太牢祀先聖，其器識更何如哉。論者謂漢世四百年基業，其精神命脈蓋兆於此。嗚呼，其然，豈不然乎。學稽春秋迄今兩千年，焚書坑儒而自促滅亡者，嬴秦而已。若兩漢，若隋唐，若宋元明清，凡疆宇一統之朝，其尊孔典禮，彪炳史策，姑不具論。而拓跋魏而六朝，五代及遼金等，或崛起荒徼，或偏安一隅，英明瑰異之主，往往戎馬倥傯，大局未定，輒汲汲焉修黌宮，加封號，或躬親釋奠，以國家培根固本，範圍人心之要術，甚至海外強鄰，披堅執銳，一聞詩書禮樂之風，類無不欲然心折者。然後知聖人之存神過化，所謂天覆地載，莫不尊親也與。嗚呼，聖道在天，則日月星辰也。在人，則菽粟水火也。不見日月星辰之明者，自瞽者也，而日月星辰如故，不知菽粟水火之養者，自斃者也，而菽粟水火如故。尊與不尊，蓋關乎天下國家之治亂興衰，豈斷斷一人之榮辱也哉。民國紀元，內憂外患，未暇及此，本年國曆八月二十七日以為先聖誕日。國府特派大員，賁臨致祭。方擬敬彙歷代尊孔舊典，以備當局採擇，而紛散史策，漫無統紀，《闕里文獻考》、《祖庭廣記》等編，又祇記至元代或清代中葉而止。左右□摭，幾無完帙。適蓋年石先生惠貺《尊孔史》二卷，始周敬王四十一年，迄清德宗二十二年，附紀元表及年譜詩歌，原原本本，燦然具備。嗚呼，深歎先生十五年來苦心孤詣，若豫知離經畔道之秋，定復有尊孔之一日者。其高瞻遠矚，視子長為何如耶。惟又辱命以文為之序，小子弇陋，何敢序先聖之史。猥以重違先生之盛意，又欲以一攄壹鬱難言之隱也，乃不揣檮昧，敬綴數語，藉以昭告二十世紀後之天下萬世云。歲次閼逢閹茂壯月謹識。

《新亞細亞》第十卷第二期（一九三五年），頁二六

集李太白句題紹述樊公遺象

誰識握龍客（南都行），皎皎鸞鳳姿（贈瑕丘王少府）。文質相炳煥（古意），高名動京師（贈韋秘書子春二首）。韓生信莫彥（送韓準裴政孔巢父還山），吐諾終平移（酬崔五郎中），伏拜歸北闕（宣城送劉副使入秦），雲壑信巢夷（江西送友人之羅浮）。蠹政除害馬（贈從孫義興宰銘），操刀良在茲（贈徐安宜）。當其南陽時（讀諸葛武侯傳書懷贈長安崔少府叔封昆季），文章多佳麗（答高山人兼呈權、顧二侯）。書禿千兔毫（醉後贈王歷陽，歷陽和州世），託意在經濟（諸葛武侯傳）。遙忻一丘樂（金門答蘇秀才），淡然養浩氣（贈張相鎬二首）。未足論窮通（五月東魯行答汶上君），積德為厚地（梁之《雅歌》有五章，今作其一）。行憂報國心（杭州送裴大澤赴廬州長史），先流賈生涕（高山人兼呈權、顧二侯）。夫子世偁賢（金陵送張十一再遊東吳），迹高想已縣（李白贈嵩山焦鍊師）。採爾幕中畫（送張秀才謁高中丞），長在玉京縣（奉餞高尊師如貴道士傳道籙畢歸北海）。落筆灑篆文（獻從叔當塗宰陽冰），魯縞如白煙（送魯郡劉長史遷弘農長史）。衣帽本淳古（答高山人兼呈權、顧二侯），忠誠難可宣（古意）。求古散縹帙（聞丹丘子於城北營石門幽居，中有高鳳遺跡，僕離遠，亦有棲遁之志，因敘舊以寄之），青史舊名傳（過四皓墓）。

文質相炳煥「古意」應作「古風」，「韓生信莫彥」應作「韓生信英彥」，「吐諾終平移」應作「吐諾終不移」，「伏拜歸北闕」應作「伏奏歸北闕」，「雲壑信巢夷」應作「雲壑借巢夷」，「託意在經濟」應作「托意在經濟」，「遙忻一丘樂」應作「遙欣一丘樂」，「淡然養浩氣」應作「澹然養浩氣」，「長在玉京縣」應作「長在玉京懸」，「衣帽本淳古」應作「衣貌本淳古」，忠誠難可宣「古意」應作「古風」。（編者）

《文史雜誌》第一卷第十一期（一九四一年），頁六十

詁雅堂侍師記

中華民國二十五年，政府聘日照丁鼎丞先生，為德成導師。師當代之大師也。少承家學，又與章太炎、劉申叔、黃季剛遊，故精於治均，三百年來，治斯學者，至師歎觀止矣。其遇訓詁之費解，音讀之難通，則旁求俚語，以正古訓，以明古讀，此運揚子之《方言》於經者，更前人之所未發也。師雖登大耄之年，酷暑寒冬，未嘗廢學，晨起，坐木椅，背不少屈，作蠅頭字，細批書眉，詳改稿本，迄夕無倦容。二十七年，政府遷渝，為成每週講《毛詩》及古均，並按古均以誦《詩》，師誦，成亦隨之誦，至能背誦而後已。誦畢，將均部注於經文之旁，如是者年餘。後師與成皆鄉居，值休沐，必偕王獻唐先生詣師，師取經、史諸書，親為講授。鄉僻，來往不易，故每來師必留飲。師素不究菜饌，然病前每餐必飲，更喜客飲，成與獻唐，不敢縱，蓋於飲時，亦欲多聆師之教誨也。師窺其意，曰：「吃飯要飽，喝酒要醉。」後侍飲，必盡醉，不爾，師不樂也。師自卅二年病，來臺後，仍治學不輟。四十一年，赴日就醫歸，每日必寫字若干。前此向不作字也。去歲八旬壽誕，中央為出版《毛詩均聿》以壽，師於病榻自為序，序成，告成曰：「揚子雲此意，不得其解久矣，今余得之。」言罷，相視而笑。又謂成曰：「民初以來歷史，近知者鮮，余尚識其略，余講，汝善記之。惜汝在臺北時少，恐不能盡授也。」依枕為成講授者，二、三時。多當年秘事。講者不及十之一。不圖不盡之言，竟成讖語！恨未多侍榻前，以記師之授史也。今春病篤，成以就醫勸，師曰：「八十之年，死亦宜矣！何醫為？」故逝時居醫室，拒進醫藥與飲食者，早決之志也。心喪餘哀，謹述所親於謦咳者之一二。其關師之學術，有《詁雅堂治學記》；其治黨為政者，世人多知之，其詳則《從政記》在。

輓聯

立雪記傳詩，憶衡門言，聿念我祖。
撫棺空垂涕，為天下痛，且哭其私。

孔德成

《丁鼎丞先生紀念集》（臺北：丁惟汾先生治喪委員會，一九五四年）

我所認識的秦紹文先生

秦紹文（德純）先生是九月七日去世的。他一生的事業，在他自己所寫的《海澨談往》那本書裡已有詳細的記載；還有一些片斷的回憶，也都陸續的刊在《傳記文學》上了，不需我再記述。這裡我只想寫一些我平常與他交往所體認到的感想。

紹文先生人人都知他是抗日的名將，七七抗日神聖戰爭的序幕就是由他親手揭開的。我和他第一次見面，已記不清確切的年月了，只記得是抗戰期間，住在重慶西郊歌樂山的時候，在日照丁鼎丞（惟汾）夫子那裡曾長談過幾次。那時他奉命調到中樞，就軍法總監部副監之職。由於他戎馬倥傯，我們雖有交往，但沒有長時間的相處。傅孟真（斯年）先生，曾經很鄭重的向我介紹過，他說：「秦紹文可以作朋友，他在北平市市長任內，兼二十九軍副軍長，宋明軒（哲元）主持冀察政務委員會那段時間裡，不論軍事、外交、政治就靠秦紹文一人苦撐，所以有人說秦紹文是宋明軒的靈魂，也是二十九軍的中流砥柱。有遠見，有抱負，有為，有守，正直不阿！這一些事實，都是我親身看見的，有機會可和他多交往，多認識。」一直到臺灣之後，我們相處的時候才多起來，除了鄉誼而外，更建立了深厚的友誼。在我們相處的時候，有時我覺得他是一位「革命軍人」，但有時卻覺得他是一位「泱泱儒者」。也許是他這兩種性格都俱備的關係。

他脫下戎裝已十幾年了，但他的言行仍然透露著軍人特有的本色，讓人仍感覺到他是一位曾身經百戰的將軍。據說當年他治軍時御下甚嚴，但也極其關懷部下的生活，所以他的部屬對他既敬畏又愛戴。提到他的部屬，我想起一個很有趣的故事。他家的廚師劉文彬已經追隨他四十年了，數年前劉文彬六十歲生日，他吩咐家裡停伙一天，所有的人都放假；讓司機老胡開他的座車，全體陪廚師到陽明山遊樂一天。到晚間回到家裡另備酒飯為廚師過壽。這件事在別人看來是多麼的風趣，然而在他做起來又是那麼的自然。在臺灣他已不掌兵符，我們看不到他帶兵遣將的一面，我們所看到的是他對朋友的熱心，以及對親友同鄉的幫忙與協助。他雖然年事漸高，已與人無爭，但在大處仍然是擇善固執，這也是一般人所不能及的。他一生有著強烈的民族意識與國家觀念，也有著我們山東人當仁不讓的精神，我們只要看他在《傳記文學》上所寫的文章，就不難發現他在抗戰前夕的華北獨當一面，真是忍辱負重的在和日本人從事冷戰熱戰，要是沒有堅毅不拔的意志和遠大的眼光，如何能在那樣既特殊又複雜的環境下擔負起軍事與外交的重任？那時他能做到日本帝國主義者魔掌下不辱使命，並且受到中央極端的信賴，決不是缺少涵養的普通人所能辦得到的。

在臺灣的山東同鄉，恐怕是人數最多的外省人了；但山東同鄉中沒有不知道他是急公好義的，同鄉中不論有那一方面的困難都喜歡去找他。他雖也有時覺得有應接不暇之感，但我從未見他嚴詞拒絕過。

他除了在疆場上是個好軍人，在家裡也是一位好丈夫，對夫人十分體貼。伉儷之情，老而彌篤，夫人生病的時候，他總是親自看護而毫無倦容。但是不幸他的夫人在今年四月先他而逝，這對他是一個很大的打擊。老年失伴，悲痛自不堪言，因而對身體、對情緒，都有相當嚴重的影響。

紹文先生是軍人，也是文人。他對中國舊的典籍有許多都能朗朗成誦，涉獵更是至多至廣，對中國歷史極為熟稔，尤好讀《資治通鑑》；對歷史上的興亡得失，人物臧否多有獨到精湛的見解與論斷。事實上，在抗戰前夕的華北，能受命封疆，絕不是一個純粹的武夫所能勝任的。若非有極高的智慧，極深的修養，極大的幽默感是應付不了的。然而這些條件，都是從「多讀書」得來的。

這幾年，他漸感老年的寂寞，也漸把叱吒風雲的氣概收斂起來。於是興趣漸漸轉移到閱讀小說上了。不論是哪種小說——中國的或是外國的，文藝的或是筆記體材的——除了接見來訪的客人以外，從早到晚都是一卷在手，樂此不疲。有時接受朋友的要求，寫一些親自經歷可歌可泣的回憶，朋友們都認為像他這樣的名將，是應該多寫一些故事讓後人去回憶的。為了要寫東西，有時他也要查閱一些舊的書籍。可是太多的閱讀生活卻使他得了極感痛苦的失眠症。他的睡眠幾乎全依賴安眠藥的幫助，甚至連午睡也不能例外。我好幾次勸他放棄吃安眠藥的習慣，但是，因為放不下書本，所以也就無法放下藥瓶了。

如今紹文先生已去世了，但他那和藹親切的風範，仍縈迴在我的記憶裡，實令人難以忘懷。

《傳記文學》第三卷第五期（一九六三年十二月），頁二八

《儀禮復原研究叢刊》序

《儀禮》一書，為我國先秦有關禮制、社會習俗，最重要而對於儀節敘述最詳盡的一部書。它是經儒家傳授，源流有自。其內容或不免雜有儒者的思想成分或主張；但是這類有關社會習俗、制度等等的著作，不可能毫無事實根據或歷史傳說，而全然憑空臆造。況且儒家是保存、傳授古代典籍的專家，由他們手中流傳下來的典籍，其中必然有一大部分是他以前，或是當時的史實。因此，尤其在史闕有間的今天，這部書不能不算是我國先秦史上禮俗史上最詳細的史料。可是因為其儀節的繁複，文法的奇特，句讀的難讀，所以專門來研究它的人，愈來愈少。李濟博士有鑑於此，特倡導用復原實驗的方法，由東亞學會撥予專款，由臺灣大學中文系、考古系同學成立小組，從事集體研討。由臺靜農先生任召集人，由德成指導。

《儀禮》一書自鄭康成以來，注解者雖名家輩出，但囿於時代之關係，其所用之方法及資料，由今以觀，似乎尚覺方面過少。故此次之研究，各分專題，運用考古學、民俗學、古器物學，參互比較文獻上材料，以及歷代學者研究之心得，詳慎考證，歸納結論，然後將每一動作，以電影寫實的方式表達出來；使讀是書者，觀其文而參其行，可得事半功倍之效。

惟此種方法，為我國研究古史第一次採用的方法，嘗試之作，疏漏在所難免。影片除另製作外，茲將專題報告，各印成書，集為叢刊，以備影片參考之需。指導者既感學植之簡陋；執筆者或亦覺其學難以濟志。尚希海內通儒達人，不吝教之，幸甚！幸甚！

最後對於李濟博士提倡學術之意，致崇敬之忱；並致最深誠摯之謝意。

中華民國五十八年十二月十八日

《儀禮復原研究叢刊》（臺北：中華書局，一九七一年十二月）

李炳南先生傳略

李先生，本名豔，字炳南，號雪廬，法號德明，別署雪僧，以字行。山東濟南人。世居城內券門巷，積善世家，已歷三百餘年，詩書相傳，簪纓攸續，城中父老咸知李氏第宅。先世自明代以還，多為武職。其尊翁壽村公，好禮尚義，教有義方。

李先生生於前清光緒十六年庚寅（西元一八九〇年）之十二月初七日。自幼穎悟好學，諸經子史，循次誦讀。及長，兼治歧黃，且好劍術。對古文詩詞，興趣尤濃。吟詠推敲，屢致忘食。民國肇建，研習法政，熱心教育，曾與濟南學界人士組成通俗教育會，且當選為會長。

民國九年，李先生主管山東莒縣獄政。目擊牢房湫隘，垂憫囚徒，即謀興革。紆折五年，重建監舍，炳煥寬敞，設施完善。又倡德化重於刑齊，加強獄中教化，俾囚徒改過向善。李先生崇尚儒學，宅心厚道。舊曆年除夕前，與囚徒約定：欲返家同家人團聚過年者，悉可返家，但須年假結束時回監服刑。囚徒因而返家過年者，十之八九。獲知此事者均為之擔心不已，豈知沾此雨露之囚徒，年假未完，一一回監服刑，未有不歸者。山東法界及輿論界翕然心服焉。

清代咸同以還，莒縣久無兵事。民國十六年至二十年間頻遭戰亂禍害，他適在莒縣，挺身周旋其中，以保全民命。城危之際，縣知事棄城而走，謠傳四起，秩序混亂，他於緊急中率領城內警力，日夜巡邏彈壓。或偕人縋城說敵，或親自勸阻犯軍。十七年四月，大盜謀襲莒城，知事北去，縣府無首；他聯合機關首長、地方士紳，組織臨時縣政委員會，搶救難民，以待軍援。十九年二月，軍閥倒戈，佔據莒城，頑抗中樞，相持半載，民食殆盡，人命不保；他在艱彌厲，深感弭兵之本乃在戒殺護生，遂決定終身茹素，不復肉食。

莒圍方解，他獲知淨宗第十三祖印光大師所設之蘇州宏化社寄贈佛書，如《學佛淺說》、《佛法導論》等，即欲皈依佛門。又三年，往蘇州報國寺參謁印光大師。

二十三年，莒縣重修縣志，翰林莊陔蘭（心如）先生擔任總纂，禮聘炳南先生為分纂，負責纂修「軍事、司法、金石、古蹟」四類。越三年事竣，莊先生遂薦炳南先生入大成至聖先師奉祀官府任職。不久即晉升為主任祕書。

二十六年七月蘆溝橋事變後，中央政府遷經武漢，再往重慶。炳南先生隨奉祀官府輾轉入川，遷往重慶西郊歌樂山，結廬林間，以所居命名曰「猗蘭別墅」。後來，日本飛機不斷濫加轟炸，我國軍民死傷無數，其所居幾遭土石掩埋，他仍奔走於硝煙彈雨間，賑濟災黎，發揮同胞愛、慈善心。

三十四年八月，日本軍閥無條件投降。明年，中央政府遷都，奉祀官府亦隨政府遷回南京。炳南先生住南京奉祀官府三載有餘；其間曾陪同本人三返曲阜謁廟，惟以公務繁忙、交通不便，他僅一返濟南故里探親。徐蚌戰後，神州易幟。三十八年夏，奉祀官府遷來臺灣，他亦隻身浮海來臺，寓居臺中。初居自由路，繼遷和平街，後則寓於正氣街，未曾離開臺中。公務餘暇，即向友人晚輩弘揚佛理。

炳南先生之研習佛學，始於早歲任職山東莒縣時，即已受南昌孝廉梅擷芸老居士所影響。梅氏掌秋官於魯省，精邃內典法相之學，於大明湖畔成立佛學社，講授法相宗。炳南先生聽而悅之，故從獄政，格外施仁。後來皈依於印光大師，並得印祖賜號德明。七七事變前，莊陔蘭先生亦於佛學有所指點。抗戰後，中國佛教會理事長太虛大師在四川弘法，對炳南先生影響亦大。炳南先生之人生歷程，受莊先生影響最深，除指導入佛門徑，其對中國學問之方法、古文之研究，乃至為人處事之道，均受賜於莊先生。

三十九年與董正之等居士籌組臺中市佛教蓮社，手訂社風十條，旨在上求佛道，下化眾生，積德求學，深信因果。又定社務凡三：講演儒佛經典，集眾念佛弘法，興辦文化慈善事業。四十一年，他在蓮社開講佛學。以後每週講經，率以為常。四十七年，建慈光圖書館；四十八年，建慈光育幼院；五十二年，建菩提醫院與菩提救濟院。五十九年，設明倫社。自四十六年至七十三年，先後在霧峰、豐原、太平、員林、水湳、東勢、鹿港、后里、卓蘭、沙鹿等地成立佈教所，宣揚佛教。

慈光圖書館之國學講座與佛學講座，尤為社會人士所稱道。此二講座創於五十年十一月，每週六晚間由炳南先生親自講授《禮記》、《論語》諸經及佛教經典，聽講者多為中部大專學生與社會青年。偶亦應東海大學、中興大學、中國醫藥學院之聘，講授《論語》、《禮記》、詩選、內經或佛學諸課程。往日，晝理案牘於奉祀官府，夜弘儒佛於講壇道場；自公職退休後，忙碌如故，弟子因其年事已高，常勸其安養節勞，他嘗曰：「一息尚存，不忍閒逸也。」

炳南先生自奉儉約。所居正氣街寓所，為一平狹斗室，研經著述於其間，無往而不自適。食惟飯蔬，定時少量。衣衫非至縫補不堪，不忍棄去。弟子有奉束脩金者，悉以弟子之名轉為慈濟功德。二十年前，鄙意以為他當接受一年一度之好人好事表揚，遂向有關單位鄭重推薦，且已獲審查通過；他得知後，卻費盡脣舌，懇求務必設法除名，堅持不肯接受表揚。此即其默默行善之身教。近年他雖逾九十高齡，講經時仍然音聲宏亮，毫無倦容。惟近來多次食物中毒，體力稍弱；然講經未嘗或輟也。

今年三月，他已感體力不支，十九日最後一次講經。四月十二日謂其近侍弟子曰：「我要去了。」次晨以「一心不亂」囑在側諸弟子。延至是日（四月十三日，舊曆丙寅三月初五日）清晨五時四十五分，吉祥臥逝，春秋九十有七歲。元配張夫人德馥女士，中道謝世。繼室趙夫人德芳女士，子俊龍，孫女珊、彤，均留居大陸，未能來臺。

炳南先生西歸後，其所著作有《雪廬詩文集》、《詩階述唐》、《內經摘疑抒見》、《內經選要表解》、《佛學問答類編》、《弘護小品彙存》、《大專學生佛學講座六種》、《阿彌陀經摘註接蒙暨義蘊》諸種，其中「雪、佛、弘、阿」四書已出版。此外尚有筆記、表解、韻偈等近三百種手卷。彙印全集，尚俟諸異日。

（孔德成口述　王天昌筆記）

《國語日報》書和人（一九八六年七月五日），

又《明倫月刊》二六三期「雪公往生十周年特刊」（一九九六四月）

吾家大事

《大成雜誌》第九十九期及一百期，分載署名孔德懋所撰「天下第一家、兩代衍聖公」、「我的弟弟孔德成」兩篇。茲先就有關吾家事之大者，加以補述：

德成民國九年，夏曆正月初四日生。　先生妣王太夫人，於是月二十一日卒。其疾，即今所謂之「產蓐熱」也。　先繼妣陶太夫人，斂以朱棺（敝府如夫逝，祇用黑棺）、一品夫人服，停柩忠恕堂（敝府如夫人逝，例停柩府東牆外「東場」）。時以　先公燕庭公未葬，靈停于「前上房」，故停　先生妣柩于此。敝府衍聖公及夫人喪，例停柩于「前上房」）。及葬期，厝　先公墓後（厝，暫時之葬。其穴，容棺三分之二，三分之一，露于穴外，穴上，以臨時築物護之，上掩以磚，或另加工。此猶古時之「殯」。）厝而不葬者，為待　先繼妣百年後，同合葬　先公之墓，禮也。每歲清明、十月初一日（吾鄉每歲掃墓之期）掃墓時，先繼妣必令吾姊弟至　先生妣厝前祭拜。柯姻伯鳳蓀（劭忞）〈七十六代衍聖公孔公燕庭暨元配孫夫人、繼配陶夫人、側室王夫人合祔墓誌〉：「至匕鬯不驚，以奠二千年之世祚，則尤為夫人（謂　陶太夫人）是賴焉。」銘中又云：「遺孤在疚，養育恩勤（謂　陶太夫人）。」又云：「亦有簉室，左右女君（謂　王太夫人）。」皆紀實也。

文中所謂「孔心泉」者，心泉，名廣□，忘其名。甯陽人，寄寓曲阜，卜居城內官園街東首路北。李伙伙（名傳森，曲阜人，清五品銜，衍聖公府「隨朝伴官」）。余幼時，　先繼妣命看護余。「伙伙」即伙伴。　先繼妣以其曾侍　先從祖琢堂公及　先公，故不許以名呼之（敝府對侍人，向呼其名），使余親之，且不以侍人待之也。）曾告余曰：「心泉二爺發喪時，老公爺（敝府人等對　先公之稱）。為之書『重』，以行氣不整，改粉三次始寫就。」以是時李伙伙侍側也。是心泉先　先公而逝。

至文中應再補述者，容續寫之。

中華民國七十一年，五月十五日，臺灣、臺北。

《大成雜誌》第一〇四期（一九八二年七月），頁十六

同名文章：〈吾家大事〉，另刊《傳記文學》第三十五卷第三期，頁二六

庭訓與師道

我出生於一個大家庭，經濟狀況在過去雖不能稱之為富有，也尚算得上寬裕。日常生活方面，我母親在世時課子、老師教誨，就飲食、衣著兩項來說吧：飲食一項是十分簡單的，夠吃即可，不許挑嘴或自作主張點菜，家裡做什麼就吃什麼，絕不允許嫌棄菜色而不吃的事件發生。這是中國舊家庭的規矩，並非吃不起，而是要小孩子養成淡泊、平易的飲食習慣，才不致任意放縱。如此，將來進入社會，無論遭遇何種境地都可適應。衣飾方面，錦衣華服雖然也可以說穿得起，然而我們家裡是不為的。那個年代，穿得起皮鞋的人家較少，稍講究的人家多以緞鞋為主，普通點的便著布鞋；衣服質料呢，講究的人家穿綢子、緞子，一般人家布衣遮身為多。我們小時候，家裡祇許穿布衣，鞋子也是布鞋。種種衣食上的規限，無非教導小孩子養成簡樸的習慣。

在待人接物方面，我們家用人雖不算少，但是小孩子對待用人不准呼來喝去，請他們做事，必定要非常有禮貌，如果小孩子有不禮貌的行為，老人家看到了，一定嚴予訓責，不可存有主僕的觀念。因此，我們家內的小孩從幼年起，無論飲食、衣著、應對、待人，均須有禮。我如今一切的一切，不敢稍忘庭訓。至於我現在的生活，除上班、上課，就是讀書。每天也作一些運動。

談及讀書過程，一個人自幼即成長於那樣的環境，當然格外容易養成嬌縱的個性，尤其在求學一事上。然而我讀書卻半點兒錯不得、鬆懈不得，我幼時念書不完全似現在的方法，背書乃天經地義事，背不來是要挨打的，老師拿戒尺打手心，痛徹心扉，不過，所受的課程和當時學校中一樣。可以說，我童年受教育的生涯比起一般人更嚴格。如今回想，年事雖愈長，有時仍能熟記些已念過的書，實在是受惠於幼時嚴格的教育所賜。此外，親友、長輩對於我，如果發現錯誤的地方，也時加訓誡，母親絕不袒護。我的家庭教養，就算與當年舊社會並論，也稱得上是嚴格的。

我教書至今已有三十多年了，準備教材，是生活裡重要的一項科目。我上課時，盡我的能力詳細講解，有疑義處，持保留的態度，並讓學生充分討論，提出自己的意見。我要求學生，做學問態度一定要謹嚴，不要輕易下斷語。當學生上課表現不理想時，委婉規正。三十餘年來，我和學生處得如同家人。

我覺得雖然因為時代變遷，教學制度不同，師生關係不比從前，但是教育的原理是一樣的。學生發問，老師應和顏悅色解答，如果不了解，便坦承不知，我覺得這並不會失去老師的尊嚴。更重要的是老師要言行合一，以身作則，這就是「以身教人則從，以言教人則誦」的道理。

總之，我受的庭訓、教育，都是忠以事上、孝以事親、誠以待人、敬以律己的，至今猶秉此原則以行事。

《聯合報》一九八六年九月二八日第八版
同文章改名：〈幼年教育對我的影響〉，
另刊《傳記文學》第四十九卷 第六期，頁七八

《屈萬里先生全集》序

吾國經學，自清末而不變。乾、嘉以還，有以考據、校讎、辨偽治經之方法，以治諸子。諸子之學，似與經學無關；但由於治經方法之擴及，迺衍及觀念之闊廣。更因西方思想、治學方法之東漸，對經學之態度，遂與傳統大異其趣矣。益以地不愛寶，古物、遺跡時現，學者更多能利用此數千年前直接之材料，與文獻互相印證；雖云宋人之舊規，然方法、觀念已殊。以上，可為我國經學近世演變之大略也。其閒，有反乎此，或好新立異者，識者弗取。吾友屈君翼鵬，篤志好學，寢饋墳典，未嘗為庶務少輟。先治《周易》，以社會學之觀點，一掃玄祕之色彩。欲徵占卜之源流，而治殷墟甲骨之學；欲明後世於《易》解說之附會，而治陰陽五行之史。繼治《詩》、《書》。其治《詩》也，善以民俗文學之比擬，而解〈國風〉。其治《書》也，先為注釋，復以佶屈聱牙，眾說紛紜，迺總彙古今諸家成編，以供治斯學者參考之資。又以古籍多所偽譌，迺治版本之學，而及漢石經之考訂。進而更為先秦史料之考辯。所箸甚富。祇舉其要者，見其治學重心之所在。凡所為學，皆實事求是，寓科學方法、觀念於樸學之中，可謂得其正矣。創獲既多，議論皆醇，足為學林典範。翼鵬既卒之三年，其夫人費女士海瑾，將刊其遺箸，由其門人，董理輯篹，匯為全集。余與翼鵬五十年同師之誼，相處久，於其治學經過、途徑，知之較諳，以費夫人屬，謹序簡端。既樂觀其學得傳永世，嘉惠來茲；然憶曩時共研切磋情景，實又不勝西州之痛矣。

中華民國七十二年四月一日曲阜同學弟孔德成敬序。時客臺北。

《屈萬里全集・讀易三種》（臺北：聯經出版公司，一九八三年六月）

求真求實

我開始識字讀書時，國內已經有了西式學校，由於家庭背景的因素，我並沒有進西式學校念過書，而是請老師來家裡指導我。當時，我所學的課業，大致和同齡學童在學校裡讀書的科目大致相同，只是比較重視經典及文史的傳授，因此養成了我研究史學的興趣。也由於在求學階段中，浸潤於我國經、史、子、集者多，使我日後從事史學研究工作時，佔了比較多的便宜，並能靈活而有效率地運用過去所讀的書。

當然，我們小時候受業，是傳統式的，老師對於讀書的方法較不重視，大家都強調博聞彊記，以背誦為主。在治學方面，自然就比較缺乏系統，往往易因個人喜惡，使研究結果失真。近代研究學問，由於受到西方的影響，強調的是方法和統合觀念，加上考古學的發展，在資料考證上方便了許多。這種種影響，使得我國史學研究有了很大的進步，尤以古代史料為最。就治學而言，這無疑是十分可喜的。

但是對一個史學研究者來說，不管所使用的治學方法，是傳統或是現代的，最終目的，都在於求真求實。我經常告訴學生，做歷史研究，簡單地說，就是一種「復原」的工作。歷史原來是怎樣的面目，就要讓他回復為原來的樣子，不能任意篡改，或相信被篡改過的史料。

這話說起來極為簡單，其實不易做到，特別是古史研究，因為年代久遠，書物湮失，導致眾說紛紜，莫衷一是。一個求真求實的史學研究者，這時就必須踏破鐵鞋，先求蒐集充足的原始材料；有了足夠的材料後，其次就是印證，必須用對方法，始不致誤入歧途；而最重要的是，研究者本身要有清晰的觀念，也就是史識，方能統籌運用，求得歷史研究的最大真實。

這種治學態度，拿來用在待人接物上，也不失為一個重要的準則。做人和做學問的道理，原來就是一貫的。歷史研究求的是史料的真、方法的實，而做人求的是待人的真，接物的實。一個人只要求真求實，不管做學問或是做人，都能圓滿成功。

（方梓　紀錄）

《自立晚報》一九八三年五月十一日，副刊第十版

王獻唐先生墓表

先生幼名家駒，改名琯，字獻唐，號鳳笙，後以字行，山東日照人也。祖宏基，前清庠生；父廷霖，術精歧黃，兼通金石文字聲韻之學。先生幼承庭訓，書窺四部，根柢深厚；年十一，赴青島特別高等專門學堂習土木工程，嗣卒業於禮賢書院德文科；以是學兼中西，思緻靈敏，其日後學術之成就，實肇基於此矣。既冠，服務報界，肆力翻譯及新聞事業者近十年。其間與羅振玉、王國維、葉恭綽、傅增湘諸先生游，遂通目錄版本之學；復從同邑丁惟汾先生治《說文》、《方言》、《毛詩》，入其堂奧。蓋先生之精於金石、校勘，與鄉先輩許印林先生同科，而受其影響亦深也。年三十三，任山東省立圖書館館長，時以世亂，炮火劫餘，藏書零落，先生排除萬難，奔走蒐求，以富典藏，碑版磚瓦封泥泉布預焉；而於圖籍之分類、文物之陳列、刊物之出版、閱覽之服務，尤夜以繼日，苦心擘畫；不數年，館譽鵲起，當時蓋以為僅次北平圖書館云。抗戰軍興，先生妥善存放館藏文物，並檢其精華，載之播遷，山顛水涯，備極艱辛，終安置於四川樂山，山東文獻，賴以保存。嗣後曾參與國史館之籌備、山東古代文物之管理、山東博物館之籌建、山東地方志資料之徵集等工作，凡有益於民族文化、鄉邦文獻者，靡不竭其心力，有所獻替。蓋先生一生學術，遠紹乾嘉諸儒，近承清末名宿，益之以科學觀念，輔之以實地勘查，集目錄、版本、校讎、訓詁名家於一身，熔文字、聲韻、器物、古史之學為一爐，故其論述，每能條貫源流，闡微發隱，而於鄉邦文獻及歷史之考訂，貢獻尤多。生平專著暨論文近百種，其重要者，有《雙行精舍書跋輯存正續編》、《炎黃氏族文化考》、《山東古國考》、《中國古代貨幣通考》、《國史金石志稿》等，海內外共推為近代山左傑出學者云。先生於抗戰勝利後，已罹腦疾，而讀書著逝不輟，訪古勘查不息，逮庚子冬，遂不起，距生於清光緒二十三年，春秋六十有四。葬濟南西郊萬靈山下。後三十三年，遷窆青島市青島大學風景山區，佔地一畝，蓋猶追仰鄉賢之意也。其家以函來丐銘於曲阜孔德成，德成回憶曩昔在歌樂山與先生共學研討之樂，恍似昨日，感世事之滄桑，嘆人天之永隔，因為銘曰：

已乎獻唐！往也者，人能論其短長；來也者，焉能前知其炎涼；下學上達，既無愧乎鄉邦；固窮守約，又何讓於古之賢良。已乎獻唐！

孔德成攝於臺灣大學中文系第五研究室

國家圖書館出版品預行編目（CIP）資料

孔德成先生文集 / 孔德成著. -- 初版. --
臺北市 : 藝術家, 2018.12
240面 ; 21×28公分
ISBN 978-986-282-224-1（平裝）

1.言論集

078　　107016450

孔德成先生文集

（孔德成先生五字集自史晨碑）

著　者：孔德成
發行人：孔垂長
總編輯：葉國良

出版者：藝術家出版社
台北市金山南路（藝術家路）二段一六五號六樓
電　話／（02）2388-6715
傳　真／（02）2396-5707、2396-5708
郵政劃撥／50035145　戶名／藝術家出版社

總經銷：時報文化出版企業股份有限公司
桃園市龜山區萬壽路二段三五一號
電　話／（02）2306-6842

南部區域代理：台南市西門路一段二二三巷十弄二十六號
電話／（06）261-7268

製版印刷／欣佑彩色印刷股份有限公司
初版一刷／二〇一八年十二月一日
定　價／新台幣四八〇元

ISBN／978-986-282-224-1（平裝）
法律顧問／蕭雄淋

行政院新聞局版台業字第一七四九號